現代語の法華経 3

野日敬

現代語の法華経 3

目次

仏の本体は不生不滅（如来寿量品第十六《にょらいじゅりょうほん》）

その時、お釈迦《しゃか》さまは、もろもろの菩薩《ぼさつ》たちをはじめとするすべての聴聞《ちょうもん》の大衆に向かって、おごそかにおおせになりました。

「信仰の心の深い皆さん。これからわたしの説くことは、真実の言葉です。しっかりと聞いて理解し、堅く信ずるがよろしい」

お釈迦さまは、ふたたびそれを繰り返してお告げになりました。

「皆さん。これからわたしの説くことは、真実の言葉です。しっかりと聞いて理解し、堅く信ずるがよろしい」

さらに、三たび同じことを繰り返しておおせられました。

「皆さん。これからわたしの説くことは、真実の言葉です。しっかり聞いて理解し、堅く信ずるがよろしい」

お釈迦さまの、そのおごそかなお言葉をうかがった多くの菩薩たちは、弥勒菩薩《みろくぼさつ》を先頭に、一同合掌《がっしょう》しながら、仏さまに申し上げました。

「世尊《せそん》。お願いでございますから、お説きくださいませ。わたくしどもは、必ず仏さまのお言葉を信受《しんじゅ》いたします」

　このように三度繰り返して申し上げましたが、それでもまだ足りない気持で、もう一度それを繰り返しました。

「本当にお願いでございます。その教えをお説きくださいませ。わたくしどもは、必ず仏さまのお言葉を信受いたします」

　その時世尊は、もろもろの菩薩が三度繰り返してお願いしてもまだ願い足りないとするほど、心の底から教えを聞きたいと切望していることを認められましたので、次のようにおおせになりました。

二七二—九—下
「では、皆さん心を澄まして、しっかりと聞きなさい。これから、きわめて奥深い如来《にょらい》の本体と、自由自在なそのはたらきについて、説き明かすことにしましょう。

　一切の人間や、天上界《てんじょうかい》に住んでいるものや、その他のあらゆる生あるものは、みんな、今こうして法を説いているわたしを、かつて釈迦族の王宮を出て、伽耶城《がやじょう》の近くの菩提樹下《ぼだいじゅげ》に坐して道を求め、そうして無上の悟《さと》りを得たものだと思っています。ところが、実際はそうではありません。わたしが仏となってから、実に無限の時が経っているのです。

たとえば、ある人があって、この三千大千世界を摩《す》り潰《つぶ》して小さな粉末《ふんまつ》にしたとしましょう。それを残らず持って、東のほうへ飛んで行き、五百千万億那由他阿僧祇《ひゃくせんまんのくなゆたあそうぎ》という数の国を過ぎるごとに、その粉末を一粒ずつ落とすことにして、ついに全部の粉末を落とし尽くしたとしましょう。皆さん。皆さんの頭で、いったいどれだけの世界を通り過ぎたかを、考えることができますか。あるいは、数え上げることができますか」

弥勒菩薩たちは、異口同音にお答え申し上げました。

「世尊。世尊のおおせられましたような世界は、量り知れない、限りのない世界でございまして、とても数学などで計算できるものではございません。また、われわれの心の力で、およそこれぐらいかと想像しようとしましても、とうてい考え及ぶものではございません。声聞《しょうもん》や縁覚《えんがく》の境地に達しているすべてのものが、迷いをすっかり払い去った智慧《ちえ》をはたらかせて、深く深く思いめぐらしてみても、そういう果てしない数を知ることはできますまい。わたくしどもは、声聞や縁覚よりもいささか修行《しゅぎょう》が進みまして、不退転《ふたいてん》の境地に住しておりますけれども、いま仏さまがおっしゃいました限りない世界のことまでは、どうしても考え及ぶことができませんでした。世尊。世尊のおおせられるような世界は、まったく無量無辺《むりようむへん》でございます」

お釈迦さまは、大菩薩たちに向かって、こうおおせられました。

「もろもろの善男子《ぜんなんし》よ。今、あなた方にははっきりと語っておきましょう。さきほど話した、大地を摩り潰した微塵《みじん》を一粒ずつ置いた世界と、ただ通り過ぎただけで微塵を置かなかった世界とを、一緒にして摩り潰し、粉末にしたとしましょう。その粉末の一粒を一劫《こう》という時間だと仮定すれば、わたしが成仏《じょうぶつ》してから今までに経った時間というものは、その粉末の数ほどの劫より、さらに百千万億那由他阿僧祇劫ほども長い時間なのです。そういう無限の過去から、わたしは常にこの娑婆世界《しゃばせかい》にいて、衆生《しゅじょう》に法を説き、教え導いているのです。娑婆世界ばかりでなく、その他のあらゆる世界においても、同じように衆生を導いて、利益《りやく》を与えているのです。

皆さん。今のべたように、本当のわたしは、無限の過去から無限の未来まで生き通しのものでありますが、その間において、たとえば燃燈仏《ねんとうぶつ》というようないろいろな仏となってこの世に出てきたことを、説きました。また、仏がこの世から去られることも、たびたび説きました。これらはすべて、みんなを教え導くための方便《ほうべん》として、そう言ったのに過ぎないのです。皆さん。ここで、仏という存在を説くに当たって、わたしが用いてきた方便を、詳しく説明しておきましょう。

二七四―五―上
ある衆生がわたしの所へやって来たら、わたしは、(100)仏眼《ぶつげん》をもってその人の信根《しんこん》およびその他の諸根《しょこん》が鋭いか鈍いかの程度を見分け、どういうふうに教えたら悟りを開かせることができるかという手段を考え、それに応じて、さまざまな違った仏の名をあげて話をしました。また、その仏の寿命《じゅみょう》についても、いろいろと長短があるように説きました。

そして、いちおうは仏としての寿命が尽きて入滅《にゅうめつ》しても、ふたたびこの世に出現し、そこでひととおり教えを説いてしまえば、またこの世から去るであろうということも述べました。また、たいへん奥深くてはっきりとつかみにくい真理を、相手に応じていろいろ違った説き方で説くことによって、それをよく理解させ、衆生に大きな喜びを与えもしました。

二七四―八―下
もろもろの善男子よ。そういうわけで、如来は、もろもろの衆生のうち、まだ徳が薄く煩悩《ぼんのう》が多いために、ある程度の悟りを得ることだけで満足しようと思っているものに対しては、そういう人に分かりやすいように、自分は若い時に出家して、こういう修行をした結果、仏の悟りを得たのであると、説いてあげたのでした。ところが、実際は、わたしが成仏したのが無限の過去のことであったことは、いま話したとおりです。ただ、衆生を教化《きょうけ》して仏道《ぶつどう》に入らせるための方便として、若いとき出家して、こういう修行をして仏となったのだと説いたわけです。

もろもろの善男子よ。わたしが説く教えというものは、その表現にはどんな違いがあろうとも、つまるところは、衆生を救い、迷いから解脱《げだつ》させるためのものであります。二七五―一―中 そのためには、ある時は仏の本体について説くこともあれば、ある時は特定の相《すがた》をとって現れる仏について説くこともあります。ある時は仏の身としてこの世に出現することもあれば、ある時は他のいろいろな聖人・賢人として出現することもあります。仏の救いをそのままの相《すがた》で示すこともありますし、間接に、他のことがらを仲立ちとして救いの手をさし伸べることもあります。形はこのようにさまざまに変わっても、その説くところはすべて真実であって、嘘偽《うそいつわ》りはなく、一つとしてむだなことはないのです。

二七五―二―中 なぜそうであるかと言えば、如来は三界《さんがい》の本当の相《すがた》を、ありのままに見通すことができるからです。すべてのものは、生まれ、かつ死に、必ず変化するものでありますが、それはただ現象の上だけのことであって、如来の眼《まなこ》をもってすべてのものごとの実相《じっそう》を見れば、すべては消え去ることもなく、現れることもありません。また、この世に在るとか、世を去るとかいうことは、本来ないのであります。

二七五―五―上　目の前にものごとが現実に『在る』と見るのもまちがいであれば、『無い』と断定するのも誤《あやま》りです。また、ものごとが常住するもののように考えるのも迷いでありますが、現象面だけを見て、常住のものがないと考えるのも浅い見方です。如来は、三界に住んでいる人間の、そのようなものの見方を超えて、すべてのものごとの実相を見極めているのです。

二七五―六―上　如来は、こういうふうに、すべてのものごとの実相を明らかに見極めており、けっして見誤ることはありません。ところが、悟りを開いていない衆生は、そうはゆきません。それぞれに違った性質を持っており、さまざまな欲望があり、いろいろ勝手な行いをしており、千差万別の考えを持ち、ものごとをそれぞれ自分のものさしで分別《ふんべつ》して見る習性があります。したがって、もしそのままにほうっておくと、それぞれの性質・欲望・行為・思想・利害観念がぶつかりあって、苦しみが生じ、争いが起こるのです。

二七五―七―下 それゆえ、如来は、もろもろの衆生に人間向上の根本になるものを養わせようとして、過去の事実を例にとって説いたり、譬《たと》えを引いて教えたり、適切な言葉を用いて説明したり、いろいろな方法で説いてあげるわけです。そして、そのような教化のはたらきを、いまだかつてしばらくも休んだことはないのです。

二七五―九―上 このように、本当のわたしは、非常に遠い昔から、いや、いつからということも言えない無限の過去世《かこせ》から仏となっているのであって、これから先の寿命も、また無限であります。そして、常にこの世に住していて、滅するということはありません。皆さん。そういう本仏《ほんぶつ》としての寿命はさておいても、わたしが前世《ぜんせ》において菩薩の道を行じた功徳《くどく》によって得た寿命だけでも、非常に長いものであって、まだなかなか尽きるものではありません。前に述べた年数の二倍もの寿命があるのです。

ところが、わたしは皆さんに対して、しばらく後にこの世を去るであろうと言いました。本当は、いなくなるのではないのですが、衆生を教化する方便として、皆さんの前からすがたを消すことを宣言するのです。二七六―一―上 なぜかと言えば、もし、わたしがいつまでもこの世にいるということになりますと、徳《とく》の薄い普通の人は、つい安《あん》易《い》な心が生じて、心に善い種子《たね》をまき、善い根を育てることを怠《おこた》るからです。そのために、心がいよいよ貧しく、狭く、賤《いや》しくなり、五官の欲にとらわれるようになります。そして、ものの考え方が自分本位になり、したがって、ものごとの真相が見えず、まちがった考え方の網の中にがんじがらめになってしまい、正しい生き方ができなくなるからです。

また、もし、わたしがいつまでも生きていて、この世を去ることがないということになれば、教えなどは聞きたい時に聞けばよいというわがままな心や、厭《あ》きがきて怠《なま》けたくなるような心が生じましょう。そして、仏に遇《あ》うのはまことにむずかしいことだという思いや、仏を本当に敬《うやま》い、つつしんで教えを聞こうという真剣な心を生ずることができないのです。

二七六―四―上

そういうわけですから、如来は方便をもって、『諸仏が世に出られるのにめぐり遇うのは、非常にむずかしいのである』と説くのです。なぜむずかしいのかと言えば、徳の薄い人びとの中には無量百千万億劫《のっこう》という長い年月《としつき》の間に、ようやく仏にめぐり遇える人もあり、それでもまだめぐり遇えない人もあるからです。それゆえ、わたしは、『比丘《びく》たちよ、仏を見ることはむずかしいのですよ』と説くのです。

二七六―七―下
こういう薄徳の衆生も、仏にめぐり遇うのは非常にむずかしいのだということが分かってくれれば、ひとりでに仏を慕う心を懐《いだ》くようになり、のどの渇いたものが水を求めるように仏を求め、ひたすらな心で信仰するようになるのです。そうすれば、自然と善根《ぜんこん》を植えざるをえないようになるわけです。

こういうわけで、仏は実際は滅度《めつど》しない生き通しの存在でありながら、ある期間が経てばこの世からすがたを消していくのだというのです。それは、わたし一人のことではありません。すべての仏が、同じようにそう説かれるのです。それも、ただただ衆生を救うためのことでありますから、すべて真実であって、嘘でもなく、虚《むな》しいことでもないのです。そのことを、譬えによって、分かりやすく話してあげましょう。

二七六―一二―上
ある所に、一人のすぐれた医師がありました。その人は非常に賢く、事理に通じた人でした。薬の処方にも熟練《じゆくれん》しており、どんな病気でも治す名医でした。その医師にはたくさんの子どもがありました。十人、二十人、いや百人もあったのですが、ある時、用があって、他国へ出かけました。そのるすに、子どもたちは、まちがって毒薬を飲んでしまいました。お父さんがおられれば、そんなことは起こらないのですが、るすの間はしたいほうだいの生活をしているので、ついそんなことになってしまったのです。だんだん毒が効いてくると、子どもたちは地べたをころげ回って苦しみました。

そこへ、とつぜん父が帰って来ました。子どもたちは、あるいは毒のために本心を失っているものもあり、それほど毒の回っていない子もありましたが、それでも、遠くの方に父の姿を見つけると、一様にたいへん喜びました。そして、父の前にひざまずいて、『お父さん。よくご無事で帰って来てくださいました。わたくしどもは、ばかなことをしてしまったのです。まちがって、毒薬を飲んでしまったのです。どうか治療してください。命を助けてください』と頼みました。

父は、子どもたちが苦しんでいるのを見て、これはすぐ助けなければいけないというので、いろいろな処方によって、よく効く種々の薬草の、色も香りも味もいいものを選んで、それをついて粉にし、ふるいにかけた上で調合し、子どもたちに与えました。そして、『この薬は、たいへんよく効く薬で、色もいいし、香りもいいし、味もおいしいのだ。さあ、これを飲みなさい。そうすると今の苦しみがすぐ治るばかりでなく、これからさきも、病気一つしなくなるのだよ』と言いました。

子どもたちの中で本心を失っていないものは、その良薬が色も香りもよいのにひかされて、素直にそれを飲みました。そして、病気はすっかり治ってしまいました。けれども、本心を失っている子どもたちは、さきにはお父さんが帰って来たのを喜んで、病気を治してくださいとお願いしておきながら、与えられた薬をどうしても飲もうとしないのです。なぜかと言えば、毒気が深く入って本心を失っているために、その色も香りも味もいい薬が、色も悪く、へんな香りがするように感じて、飲む気になれないからです。

父の医師が考えるには、——ああ、かわいそうに、この子たちは毒にあてられて心が顛倒《てんどう》してしまっているのだ。わたしを見てあんなに喜び、助けてくださいと頼んでおきながら、こんないい薬を飲もうともしない。このままではどうにもならないから、子どもたちがどうしてもこれを飲まずにはいられぬようにしむける方法をとろう——と。そこで、父は子どもたちに向かって、『みんな、よく聞きなさい。わたしはもう年をとって、からだが弱り、あまりさきが長くない。それなのに、また用があって他国へ出かけなければならないのだ。それで、このいい薬をここに置いておくから、自分たちで取って飲むのだよ。飲めばきっと治るから、けっして心配はいらないよ』と言い残して、また他国へ出かけてゆきました。そして、旅先から使いをやって、『父上はおなくなりになりました』と告げさせたのです。

子どもたちは、お父さんが自分たちを残して死んでしまわれたのを聞いて、たいへん驚き、悲しみました。そして、『ああ、お父さんがおいでになったら、かわいそうに思って、救ってくださるに違いないのに……わたしたちを置いて、遠い他国で死んでしまわれた。いよいよわたしたちは孤児になってしまった。もう頼る人はないのだ』という心細い思いが、ひしひしと胸に迫ってきました。すると、今まで毒のために顚倒していた心が、ハッと目をさましたのです。

そこで初めて、父の残していった薬が、色も香りも味もいいことが分かり、さっそくそれを飲みましたので、毒による病《やまい》はすっかり治ってしまいました。そして、子どもたちが治ってしまったことが分かると、父はすぐ他国から帰って来て、子どもたちの前に姿を見せたのです。

わたしが、仏の滅度を説くのは、これと同じ意味です。

二七九―一―下 皆さん。皆さんはどう思いますか。世の人びとは、この医師が用もないのに他国へ行ったり、死にもしないのに死んだという知らせをやったりしたのは、子どもを欺《だま》すよくない行為だと、非難するでしょうか」

一同は異口同音《いくどうおん》にお答えしました。

「いいえ。世尊。そういう非難は成り立ちません」

お釈迦さまは言われました。

「そうでしょう。ところで、わたしもちょうどこの医師のようなものです。無限の過去から永遠の未来まで、ずっと仏であることに変わりはないのですが、衆生を救うための方便として、もうすぐ滅度するだろうと言うのです。しかし、いま言ったような道理によって、一人として、わたしが嘘偽りを言うとして、とがめる人はないでありましょう」

こうおおせられた世尊は、今お説きになったことを、重ねて偈《げ》によってお説きくださいました。

わたしが仏となってから経った年月は、無量・無限である。人智《じんち》で量り知ることはできないほどの時間である。その間わたしは、常に真実の教えを説き、無数の衆生を教化して、仏道に導き入れた。その時からも、すでに無量の月日が経過しているのだ。

わたしは、衆生を救う手段の一つとして、この世からすがたを消したこともある。しかし、実際には滅度したのでなく、常にこの娑婆世界に住して、法を説いている。

わたしは常にこの娑婆世界にいるのだが、自由自在の神通力《じんづうりき》をもって、心の顚倒している衆生には、近くにいてもすがたが見えないようにしているのだ。

衆生は、わたしが入滅したのを見て、舎利《しやり》をまつって供養《くよう》し、そこで初めて真にわたしを懐《なつ》かしむ思いを懐き、いかにしても仏の教えを求めずにはいられぬ心を起こすのである。

二八〇―一―上
教えを求めずにはいられなくなった衆生は、その教えを心から信じ、素直な、柔《やわ》らかな心で、ひたすらに仏と共にある自覚を得ようと欲し、そのためには命もいらぬというほどの真剣な気持になるのである。

心が素直で、柔らかで、仏を見ることのできる人が多くなれば、その時こそわたしは、多くの弟子たちと共に、こうして娑婆世界に出現する。わたしは衆生に向かって、「わたしは常にここにいるのであって、入滅してこの世を去ってしまうことはない。わたしが自分の入滅を見せるのは、教化の手段として必要であったからである。また、娑婆以外の世界においても、正法《しょうぼう》を敬い、信じ、聞くことを願う衆生があれば、その人たちの所へも現れて、無上の法を説く」と告げる。しかし、みんなはその言葉に従わず、ただ一途に、わたしが滅度（入滅）したものとのみ思い込んでいるのだ。

二八〇―五―下
仏の眼をもって衆生を見れば、多くは苦の海に沈み、無智となって、ただ喘《あえ》ぎ悶《もだ》えるのみである。さればこそ、わたしは身を現さず、衆生に自ら仏を求める心を起こさせるのである。

衆生の胸に仏をあこがれ慕う心が起これば、その心にひかされて仏は身を現し、救いのために法を説く。仏の神通力とはこのようなものであって、無限の過去から無限の未来まで、娑婆世界および他の世界に、普《あまね》く仏は住しているのである。

二八〇―八―下
衆生の目から見れば、地球の生命《いのち》が尽き、大火に焼かれ、破滅してしまう時代が来ても、仏の国土は安穏《あんのん》であって、人間・天人が充満し、安らかに暮らしているのだ。美しい花園《はなぞの》、静かな林、宝玉に飾られた数々の堂閣。樹々には花が咲き乱れ、果実は豊かに実り、その下で人びとは、何の憂《うれ》いもなく生活を楽しむ。もろもろの天人は天鼓《てんく》をうち鳴らし、妙《たえ》なる音楽を奏し、曼陀羅華《まんだらけ》の花を雨のごとく降らせて、仏および衆生の上に散ずる。このように、えも言われぬ、美しく平和な世界なのである。

二八〇―二―下
仏の目から見た本当の世界は、このように不滅・常住であるにもかかわらず、衆生の目には、この世界は大火に焼き尽くされているように見える。そして、不安や恐怖に充ち満ちているように見える。このような多くの衆生は、よくない業《ごう》を積み重ねるために、長い年月が経っても、仏《ぶっ》・法《ぽう》・僧《そう》の三宝《さんぼう》の名を聞くことさえもない。

二八一―三―上
それと反対に、美しい心を持ち、さまざまな善行《ぜんこう》をなし、気持が柔和《にゅうわ》で、素直なものは、常にわたしを見ることができる。わたしがいつも傍《そば》にいて、常に法を説いているのを自覚することができる。

そのような人びとに対しては、「仏の寿命に限りはない。不生不滅・無始無終なのである」と説くこともあるが、長い年月を経てようやく仏の存在を知りえたような人には、「仏に遇うことはまことにむずかしい。幸いにもその機会に遭遇《そうぐう》したのだから、怠らず励むがよい」と説くこともある。

二八一―六―上 仏の智慧の力はこのように自由自在である。その智慧の光が照らし出す世界は無量である。仏の寿命もまた無量であって、それは久しく善業を積んで得た寿命である。

諸人よ。真に智慧あるものであるからには、仏のこの智力《ちりき》・慧光《えこう》・無量寿《むりょうじゅ》について、疑《うたが》いを持ってはならない。そのような迷いは、永久に断ち切ってしまわなければならない。仏の言《げん》は、すべて真実であって、偽りもなく、虚しいものでもないのである。

さきの譬えにおいて、本心を失った子らを治癒《ちゆ》させるため、医師が善い方便を用い、実際には生きていながら死んだと告げさせたのを、だれしも嘘偽りとしてとがめるものがないのと同じく、仏が入滅すると説くのも虚妄《こもう》ではない。

二八一―一〇―中 わたしも父である。世界全体の、父である。世の衆生の、もろもろの苦しみ悩みを救うものである。常に衆生と共にあって、苦患《くげん》から救おうと願い続けているものではあるが、凡夫《ぼんぷ》は心が顛倒しているゆえに、目に見えるものしか実在とは考えない。その顛倒を正すために、実際は衆生と共にありながら、時期がくれば入滅するのだと告げる。

もし、いつでも仏に遇えるというのであれば、わがままな心が生じ、放逸《ほういつ》の気持が起こり、五官の欲望を律することを忘れてそれに執着《しゅうちゃく》するために、次第に悪業に走り、したがって人生の苦患がさまざまに起こってくるであろう。

二八二―一―上
わたしは衆生のすべてを常に見通し、ある者は仏の道をよく行じ、ある者は行じていないことを知り尽くしているから、衆生の心ざまや機根《きこん》に応じて適切な方法を選び、さまざまに法を説き分けるのである。

とはいえ、わたしの本心は常に変わらない。「どうしたら衆生を仏の道に導き入れることができるだろうか。どうしたら早く仏の境地に達せしめることができるだろうか」と、だれに対しても、常にそれのみを念じているのである。

本仏常住を知ればどうなるか（分別功徳品《ふんべつくどくほん》第十七）

寿量品《じゅりょうほん》の説法《せっぽう》によって、仏さまの寿命《じゅみょう》は無量《むりょう》であり、常にこの世におられて、あらゆる所で一切の人間を導いていてくださることを知った無数の衆生《しゅじょう》は、心に大きな利益《りやく》を得ることができました。

その時、世尊《せそん》は、弥勒菩薩《みろくぼさつ》に対してお告げになりました。

「阿逸多《あいった》よ。わたしが仏の寿命の無量であることを説くのを聞いて、心から信解《しんげ》した無数の衆生が、人生の変化にとらわれぬ確固たる精神を得ることができました。また、それらの衆生の千倍ほどの数の菩薩たちが、法を聞くことによって、あらゆる悪をとどめ、あらゆる善をすすめる力を持《たも》つようになりました。また、一つの世界を粉末《ふんまつ》にした数ほどの菩薩たちが、自ら楽《ねが》って法を説き、いかなる妨《さまた》げをも乗り越えて自由自在に法を説く力を得たのです。

非常に多くの菩薩が、悪をとどめ善をすすめる力を、次から次へと限りなく及ぼしていく能力を得ることができました。また、もっと多くの菩薩が、どんな障害や困難にもたじろぐことなく、どこまでも法を説き広めていく能力を得ました。

また、数えきれぬほどの菩薩が、何一つ報《むく》いを求める気持もない、清らかな心で、法を説き広める、という境地に達しました。それよりやや少ないけれども、やはり無数に近い菩薩が、八度生まれ変わるあいだ仏の教えを修行《しゅぎょう》して、最高の悟《さと》りを得ることができましょう。

また、数えきれぬほど多くの菩薩たちが、四度生まれ変わるあいだ修行することにより、仏の悟りを得ることができましょう。また、それよりもやや少ないけれども、やはり無数に近い菩薩たちが、三度生まれ変わる間に、仏の悟りを得ることができましょう。

また、それよりもやや少ないが、しかし非常に多くの菩薩が、二度生まれ変わる間に、仏の悟りを得ることができましょう。また、もっと少ないけれども、やはり多数の菩薩が、ただ一生の間に、仏の悟りを得ることができましょう。

事実、わたしが仏寿《ぶつじゅ》の無量を説く間に、八つの世界を微塵《みじん》にしたほどの数の衆生《しゅじょう》が、みな仏の悟りを得ようという志《こころざし》を起こしました」

二八四―四―下

このように、(95)本仏《ほんぶつ》の無量寿《むりようじゆ》を確信することによってもろもろの菩薩が大きな法の利益を得ることをお説きになりますと、虚空《こくう》から美しい曼陀羅華《まんだらけ》や摩訶曼陀羅華《まかまんだらけ》がひらひらと舞い降りてきて、十方世界から来集され、宝樹《ほうじゆ》のもとの師子座《ししざ》に坐っておられる多くの仏さまのみ上にふりかかりました。その美しい天の花々は、七宝塔《しつぽうとう》の中の釈迦牟尼仏《しやかむにぶつ》のみ上にも、また、久しい以前に滅度《めつど》されたのに、いま釈迦牟尼仏の教えの真実を証明されるために出現された多宝如来《たほうによらい》のおからだのみ上にも散じました。それればかりでなく、すべての大菩薩たちの上にも、また、多くの出家《しゆつけ》・在《ざい》家《け》の信仰者たちの上にも散じました。

梅檀香《せんだんこう》とか沈水香《じんすいこう》のような、えも言われぬ匂《にお》いをもったいろいろな香が霧のように降り、虚空の中で天の鼓《つづみ》がひとりでに鳴り出しますが、その音はまことに美しく、奥深いひびきをもっているのです。その中から、いろいろな天の衣がひらひらと舞い降り、いろいろな玉をつらねた飾りが見わたす限り垂《た》れさがって、何とも言えぬ荘厳《そうごん》さです。また、宝玉《ほうぎよく》をちりばめたたくさんの香炉《こうろ》に、価《あたい》もつけられぬ貴重な香が焼《た》かれ、その香りが自然とこの大会《だいえ》のすべての人の所へめぐり流れてくるのでした。

一人ひとりの仏さまのみ上には、おつきの菩薩が天蓋《てんがい》をさしかけ、また、そのお側には、ほかの菩薩が旛《はた》を高く立てています。そういう光景が、はるかな天上界《てんじょうかい》までずっと続いているのです。そして、この菩薩たちは、仏さまをたたえる歌を朗々と歌っています。

二八五―一―下
その時、弥勒菩薩は、やおら座から立ち上がり、右の肩を肌脱《はだぬ》ぎし、合掌《がっしょう》して世尊を礼拝《らいはい》してから、偈《げ》を唱えて次のように申し上げました。

世尊は今、み仏の寿命は無量であり、常に、至る所にましまして、わたくしどもといつも共にいてくださることを、お説きくださいました。こういう教えは、昔からこのかた、一度も聞いたことのないものでございます。

その教えによって、仏さまは一切衆生を済度《さいど》する大きな力を持たれ、そのご寿命は量ることのできぬものであることを、わたくしどもは確かに知ることができました。わたくしども無数の仏弟子たちは、世尊が分別《ふんべつ》してお説きになった法の利益を自分の身に当てはめてみて、いつかは必ず仏の境地に達しうることを今こそ確信することができ、身に溢《あふ》れるような喜びを覚えております。

二八五―六―下
ある者は、いかなることがあっても退転することのない、不動の信仰を得ました。ある者は、悪をとどめ善をすすめる力を身につけました。ある者は、自ら進んで教えを説き、しかも、いかなる妨げにも負けることなく自由自在にそれをなし、悪をとどめ善をすすめる力を無限に世間におし広げていくことができるようになりました。また、三千大千世界を砕《くだ》いて微塵にしたほどの多くの菩薩が、いかなる障害・困難をも乗り越えて、どこまでも法を説き広める、意志堅固《けんご》な境地に達しました。中千世界を微塵にした数ほどの菩薩が、無我《むが》の心で教えを説き広める境地に達し、また、小千世界を微塵にした数ほどの菩薩は、これから八度生まれ変わるあいだ修行して、仏の智慧《ちえ》に達することができるでしょう。もっと小さなさまざまな世界を微塵にした数ほどの菩薩が、それぞれ四度・三度・二度生まれ変わるあいだ修行することによって、仏の境地に達することができましょう。あるいは、後の一生で仏の智慧を得ることができる者もありましょう。

これらの衆生は、仏さまのご寿命の無量を知ることによって、迷いのない境地に達し、純粋な信仰の功徳《くどく》を、量り知れぬほど得ることができました。また、八つの世界を微塵にした数ほどの衆生が、仏さまが無量寿をお説きになるのをうかがい、自分たちも修行して仏の境地に達しようという志を起こしたのでございます。

二八六—三—中
世尊が、仏寿の無量という、頭で推し量ることのできぬような教えをお説きくださいましたおかげで、わたくしども一同がどれぐらい法の功徳を得ましたかは、あたかも虚空が限りないように、とうていはかりしることはできません。

それゆえ、天上からも曼陀羅・摩訶曼陀羅の花を降らして感謝申し上げ、ガンジス河の砂の数ほどの帝釈《たいしゃく》・梵天《ぼんでん》のような諸天善神《しょてんぜんじん》が、世尊を供養申し上げようと、無数の国土から来集されました。

栴檀や沈水のえも言われぬ香りが、まるで多くの鳥が空から舞い降りるように入り乱れながら降ってまいり、諸仏のみ上に散じます。天の鼓は虚空の中で、ひとりでに美しいひびきを起こし、千万億の天の衣は、ひらひらと舞いながら、お側に降りてまいります。もろもろの宝をちりばめた香炉には、世にも尊《とうと》い香が焼《た》かれ、その香りが自然にめぐりめぐって、もろもろの仏さまを供養申し上げるのでございます。

大菩薩たちは、七宝をちりばめた、譬《たと》えようもなく美しく大きい天蓋や旛を持って立ちならび、その列ははるか天上界まで続いています。それぞれの仏さまのおん前には、宝をちりばめた旗ざおに、法の勝利を示す旛がかけられ、菩薩たちが千万の偈を歌って、仏さま方を賞めたたえています。

二八六―一二―下
このさまざまな神秘的なありさまは、昔から今まで、聞いたことも見たこともございません。こういう奇瑞《きずい》が起こりましたのは、きっと、この世界の一切衆生が、仏さまのご寿命が無量であることをうかがって、心から歓喜《かんき》したせいでございましょう。

仏さまのみ名は十方にひびきわたって、広くおおぜいの衆生に功徳をお与えくださいました。おかげさまで、一切の衆生が善根《ぜんこん》を具《そな》えるようになり、その善根が、無上道《むじょうどう》に達したいという究極の願いを遂げるのに、たいへん役立つのでございます。

その時、世尊は、弥勒菩薩に向かっておおせになりました。

「阿逸多よ。もしある人が仏の寿命の無量であることを聞いて、ほんの一念でもそれを確かに信解すれば、その人の得る功徳は、実に量り知れないものがありましょう。

もっと詳しく説明しますと、もしここに信仰深い人びとがあって、仏の境地に達するために、八十万億那由他劫《まんのくなゆたこう》という長い間、五波羅蜜《ごはらみつ》を一心に行じたとしましょう。五波羅蜜とは、布施《ふせ》・持戒《じかい》・忍辱《にんにく》・精進《しょうじん》・禅定《ぜんじょう》の五つで、智慧はこの中に入りません。この五波羅蜜を、そのように長いあいだ行じて得る功徳も、仏の寿命の無量であることをほんの一念にでも信解することによって得られる功徳にくらべれば、百分の一・千分の一・百千万億分の一にも及ばないほどです。いや、数の上でくらべることもできなければ、譬えを引いてくらべることもできません。その価値がぜんぜん違うのです。ですから、もし人びとがこのような功徳のあることを知りながら、仏の悟りを求める道において、仏の寿命の無量であることを信ずることをしなかったとしたら、そんな理屈に合わぬことはありますまい」

さて世尊は、今お説きになったことの意味を重ねてお教えになるために、偈によって、さらに詳しくお説きになりました。

ある人が、仏の智慧を求めて、八十万億那由他劫の長い間、五波羅蜜を行じたとしよう。まず、その長い年月にわたり、仏およびその弟子の縁覚衆《えんがくしゅ》やもろもろの菩薩衆に、布施と供養《くよう》を続けたとしよう。珍味・美味の食べ物・飲み物・上等の衣服や寝具をささげ、香り高い栴檀材で精舎《しょうじゃ》を建て、花園《はなぞの》や木立《こだち》によってその周りを美しく装《よそお》って寄進するなど、さまざまな布施を欠かさず行い、
二八八—四—上 それが仏道の宣布に役立つよう念じたとしよう。

また、その人が仏の戒《いまし》めをよく守り、心は清らかで迷いがなく、諸仏も賛嘆される無上の悟りを求め続けたとしよう。

また、その人が忍辱を行じ、常に調和のとれた精神と、争いを好まぬ柔和《にゅうわ》な心を持ち、たとえ外部からもろもろの悪い仕打ちを加えられても動揺しない心境にいるとしよう。また、法を知悉《ちしつ》しているかのような増上慢《ぞうじょうまん》を懐《いだ》く者が、軽蔑《けいべつ》し、悩乱せしめようとしても、それに対して常に平静な心を保つことができたとしよう。

二八八—八—上 もしまたその人が、仏法《ぶっぽう》を求めるためにひたすらな努力を続けたとしよう。すなわち、志が非常に堅く、長い年月《としつき》一心に修行して怠《おこた》ることなく、あるいは静寂の場所に坐して瞑想《めいそう》に入り、あるいは歩きながら思索し、ほとんど眠りも取らず精励し、常に精神を統一していたとしよう。

このような努力の結果、さまざまな禅定の境地に達し、長い年月にわたり心が安定して乱れることなく、その精神集中のもたらす功徳をもって、最高の仏の境地を求める志を起こし、われもみ仏と同じく、すべてのものの実相《じっそう》を見極める智慧を得、かつすべての禅定の極致に達したいと願って、さらに修行を続けたとしよう。

この人が、ほとんど無限とも言うべき年月、今述べたもろもろの功徳を行じたとしたら、人間としてまことにすぐれた人である。二八九—二—中 しかし、ここに信仰深い人があって、仏の寿命の無量であることを聞いて、しばしの間にもせよそれを信じたならば、その人の受ける福は、前に述べた人のそれよりも、さらにすぐれたものであろう。もし人びとが、この教えに対して一切の疑念を懐くことなく、しばしでもそれを深く信ずるならば、だれしも、このような功徳を得ることができよう。

二八九—五—上 とりわけ、無量の年月仏道を行じてきたもろもろの菩薩たちは、わたしの寿命が無量であると聞けば、ただちにそれを信受《しんじゅ》することができよう。そして、「この教えを受けた上は、自分も未来において、長寿を得て、衆生を救っていこう」という願いを起こすに違いない。すなわち、現在のわたしが、釈迦《しゃか》諸族《しょぞく》の王として生まれながら、こうして仏の悟りを得、道場において信ずるままを恐れはばかることなく説いているのと同じく、「自分たちも未来世《みらいせ》において、一切の人びとに導師と仰《あお》がれて道場に臨《のぞ》む時、世尊と同様に仏の寿命の無量であることを説こう」という願いを起こすであろう。

二八九—一〇—中
仏道を求める心の深い者は、精神がまことに清らかで、飾りけがなく、素直である。そのような人は、好んで仏の教えを多く聞き、よく記憶し、しかもその教えを、悪をとどめ善をすすめる力としてよく持《たも》ち、身に行うことができる。そのような人は、仏の教えを、言葉の意味の理解のみでなく、根本の精神まで深く理解できる人である。ゆえに、わたしがいま説いたことも、そのまま信受して、いささかも疑うことはないであろう。

「また阿逸多よ。もし仏の寿命が無量であるという教えを聞いて、その言葉に含まれている広大な趣旨を理解したならば、その人の受ける功徳は限りなく、量り知れぬものがありましょう。その人は、よく仏と同じく無上の智慧を得ることができるでしょう。

ましてや、広くこの教えを聞き、多くの人びとにも聞くことを勧め、自分もしっかりと心に持《たも》ち、人にも持《たも》たせ、自分も書写《しょしゃ》し、人にも書写させ、また、花や、香や、瓔珞《ようらく》や、幢旛《どうばん》や、絹《きぬ》の天蓋や、香油や、灯明などによって経巻を供養したならば、その人の受ける功徳は無量無辺《むりょうむへん》であって、ついには仏の智慧を具えるに至るでありましょう。

阿逸多よ。もし信仰深い男女が、わたしの寿命の無量であることを聞いて、深くそれを信解するならば、その人びとは、わたしがいつも霊鷲山《りょうじゅせん》にあって、大菩薩衆やもろもろの声聞衆《しょうもんしゅ》に取り巻かれながら、説法しているさまを見ることができましょう。また、この娑婆世界《しゃばせかい》が、土地は瑠璃《るり》でできており、坦々《たんたん》として平たく、黄金をもって道の境《さかい》となし、美しい樹々が立ちならび、建物はすべて宝玉によってつくられ、もろもろの菩薩衆がその中に住んでいるありさまを、見ることでありましょう。このようなありさまをまざまざと見られるようになった信仰の相《すがた》を、深信解《じんしんげ》の相《そう》と言います。

二九〇―二二―中
如来の滅後に、もしこの教えを聞いて、疑ったり、呰《そし》ったりすることなく、素直に有難いという心を起こしたならば、それが、真実の信仰を得たものの相《すがた》であると知るべきです。

まして、その教えを読誦《どくじゅ》し、よく受持《じゅじ》するものは、なおさらのことです。このような人びとは、如来を肩にいただいているのだ、と言っていいのです。

阿逸多よ。このような人びとは、もはや、わたしのために塔や寺を建てる必要はありません。また、僧坊《そうぼう》をつくり、衣服・飲食物・寝具・医薬を寄進して僧たちを供養する必要もありません。なぜならば、人びとがこの教えを受持し、読誦するならば、その受持・読誦ということ自体が、塔を建て、僧坊をつくり、衆僧《しゅそう》を供養したことにほかならないからです。

すなわち、仏舎利《ぶっしゃり》をまつって七宝の塔を建て、その塔はまことに壮大なもので、上へ行くほどだんだん小さくなって、ついには天上界にまで達しており、もろもろの旛・のぼりや、天蓋で飾られ、たくさんのりっぱな鈴がかけられ、さらに花や、香や、瓔珞でそれを荘厳《しょうごん》し、抹香《まっこう》や、塗香《ずこう》や、焼香をささげ、さまざまな鼓をうち、伎楽《ぎがく》を奏し、簫《しょう》・笛・竪琴を鳴らし、さまざまな舞《まい》を舞い、美しい声で仏を賞めたたえる歌を歌って供養する……そのような供養はまったく至れり尽くせりのものですが、この教えを受持・読誦するのは、そういう供養を無量千万億劫の間なし続けたのと、同じ価値があるのです。

阿逸多よ。もし、わたしの滅後にこの教えを聞いて、よく受持し、自分でも書写し、人にも勧めて書写させるような人があったならば、その人は、貴重な赤栴檀《しゃくせんだん》の材をもって、多羅樹《たらじゅ》の高さの八倍もある殿堂を三十二も建て、その建物は高く、広く、荘厳で、美しく、その中には多数の比丘《びく》が住み、周りには花園や、林や、からだを清める池や、歩きながら思索を練る散歩道や、坐って瞑想するための洞窟《どうくつ》や、その他、衣服・飲食物・寝具・医薬など一切の設備が整《ととの》っている……そのような僧坊や寺院を無数に建て、そこで現実にわたしや比丘たちを供養するのと、同様の功徳を積んだことになるのです。

二九二—三—下　それゆえに、もし如来の滅後にこの教えを受持し、読誦し、他人のために説き、自分も書写し、人にも書写させ、こうしてこの教えに供養するならば、現実に塔寺を建てたり、また僧坊をつくって衆僧を供養する必要はないのです。

いま説いたように、この教えを受持し、それを広めるために努力する功徳は、まことに量り知れないものがありますが、ましてやそれに兼ねて、布施・持戒・忍辱・精進・禅定・智慧という六波羅蜜を、できる限り身に行っていくならば、その徳は最もすぐれたものであって、虚空が東西南北・それぞれの間の四方・上下と無限に広がっているように、その功徳も無限であって、まっすぐに最高の智慧に達することができるでありましょう。

二九二―一〇―上
もし、ある人がこの教えを読誦し、受持し、他のために説き、自らも書写し、人にも書写させ、そればかりでなく、塔や僧坊をつくって教えを求める人びとのためをはかり、その人びとを賛嘆し、またあらゆる方法で菩薩の功徳を賞めたたえ、また、他人のために、過去のいろいろな事実を例に引いて、法華経《ほけきょう》の深い意味をその本義のとおり誤りなく解説したとしましょう。

と同時に、自分の身は清らかに持《たも》ち、仏の戒めを堅く守り、柔和な心持ちの人びとと共に結び合い、どのような迫害や困難をもよく耐え忍び、けっして怒ることなく、志が堅固であって、常に静かに仏法を念ずることにより、もろもろの深い精神統一の境地に達し、精進・努力の精神が盛んで、多くの善い教えを学び取り、頭脳がさわやかで、仏の智慧を求めてそれに深く入り、他の人からどのような難問や批判的な質問をしかけられても、それに正しく答えられるところまで達した人は、完全に六波羅蜜を行じえた人と言えるのであります。

二九三―四―中　阿逸多よ。もし、わたしの滅後に、在家の信仰心の深い男女が、この法華経の教えを受持し、読誦する行を深めていけば、このような素晴らしい功徳を得るでありましょう。そのような境地にまで達したならば、その人はすでに、わたしが悟りを開くためにブッダガヤーの菩提樹下《ぼだいじゅげ》に坐した時と、同じ状態にあると言うことができます。もはや、仏の悟りは間近にありましょう。

阿逸多よ。このような人が、坐ったり、立ったり、歩き回りながら修行している場所には、塔を建ててその行いを賞めたたえなさい。そして、天上界のものも、人間界のものも、仏の塔と同じように、その人を供養しなければなりません」

さらに世尊は、今お説きになった教えを、偈によって重ねてお説きになりました。

もしわたしの滅後に、よくこの教えに帰依《きえ》し、堅く身につけるものがあるならば、その受ける功徳の無量であることは、いま説いたとおりである。

その人は、仏や僧にあらゆる供養を尽くすのと、同様の功徳を行っていると言いうる。すなわち、ある人が仏舎利をまつって、塔を建てたとしよう。その塔は七宝で美しく飾られ、頂上の尖柱《せんちゅう》は大空にそびえ、全体がまことに広壮で、上方は次第次第に小さく、ついには天上界まで達している。至る所に宝の鈴が無数にかけられ、風が吹くたびに微妙《みみょう》の音をひびかす。その人は、無量の年月この塔に、花や、香や、さまざまな瓔珞や、りっぱな衣をささげ、さまざまな音楽を奏し、塔をめぐって香油や乳酪《にゅうらく》の燈明を灯《とも》しつらね、常にそれを照らし出したとしよう。

二九四―四―中
後の悪世の、仏の教えの失われようとする時、よくこの教えを持《たも》つ者は、以上のようなもろもろの供養を、残らず行ったのと同様の功徳があるのである。

末世において、よくこの教えを持《たも》つ者は、わたしが生きている現在、わたしと弟子たちのために、牛頭《ごず》栴檀《せんだん》の貴重な材をもって三十二の堂閣を持つ大僧坊を建て、美味の飲食・上等の衣服・寝台・寝具などを揃え、百千の比丘衆の住む所も、花園も、林も、身を清める浴池も、思索しつつ散歩する小路《こうじ》も、禅定に入るための洞窟も完備し、すべてを荘厳につくりなして供養してくれるのと、同様の功徳があるのである。

二九四―八―下
もしこの教えをよく理解し、堅く信じ、身につけ、読誦し、書写し、人にも勧めて書写させ、またこの経巻に対して、花や、香や、抹香を散じ、もろもろの美しい花を供え、香り高い香油を燃やして灯明とするなど、心からなる供養をささげる者は、量り知れぬ功徳を得るであろう。あたかも虚空が果てしないように、その功徳も無限のものがあろう。

二九四―一二―中
いわんや、この教えを持《たも》つと同時に、布施を行じ、仏の戒めを守り、忍辱の心を持ち、精神統一の境地を求め、怒ることなく、他の悪口《あっこう》を言わぬなど、人格の練磨《れんま》を怠らぬならば、その功徳はさらに大なるものがあろう。

また、仏舎利をまつった塔廟《とうみょう》を敬《うやま》い、比丘たちに対しても謙虚な態度を持《じ》し、自らを高しとする慢心を去り、常に真の智慧に思いを深め、他より批判的ないやがらせの質問を浴びせられても、怒りを発することなく、仏説《ぶっせつ》の真意に従ってよく解説してあげる……かくのごときを常に行じたならば、その功徳はもはや量り知ることもできぬものであろう。

二九五―四―上
もし、今のべたような徳を成就《じょうじゅ》している人に会うことがあったら、その身に天の花々を散じ、天の衣で覆《おお》い、その足に額《ひたい》をつけて礼拝《らいはい》し、仏に対すると同じ思いで恭敬《くぎょう》しなければならない。

二九五―六―中
また、そのような人を見たら、「この人は長く経たないうちに悟りの世界に入ることができ、煩悩《ぼんのう》のない涅槃《ねはん》の境地を得、広く天上界・人間界の人たちに、大きな利益を与えるであろう」と考えていい。

その人がとどまり住む場所、すなわち、歩きながら思索したり、坐って禅定に入ったり、あるいは睡眠をとったり、あるいは人のために一偈でも説くような場所には、美しくも厳《おごそ》かな塔を建て、その塔をもさまざまに供養しなければならない。

二九五―九―中
仏の教えを心から信受している人の住する所は、わたしもそれを自分の住する所として用いるのだ。わたしも常にそこにとどまり、あるいはそぞろ歩きしつつ法を思索し、あるいは坐して禅定に入り、あるいはそこで寝をとるのである。

初随喜の尊さ（随喜功徳品第十八《ずいきくどくほん》）

その時、弥勒菩薩《みろくぼさつ》は、世尊《せそん》におたずね申し上げました。

「世尊。もし、信仰深い男女があって、この法華経《ほけきょう》の教えを聞くことによって、しんから有難いという心を起こしましたならば、どれほどの功徳《くどく》があるものでございましょうか」

さらに偈《げ》を説いて、繰り返しおたずねいたしました。

世尊がご入滅《にゅうめつ》になりました後、この経の教えを聞く機会があり、深い感激を覚える者がありましたら、その人は、いかばかりの福を得るでありましょうか。

その時、世尊は、弥勒菩薩の問《とい》に対する答えとして、次のようにお説きになりました。

「阿逸多《あいった》よ。如来《にょらい》の滅後において、比丘《びく》でもよい、比丘尼《びくに》でもよい、また在家《ざいけ》の信者でもよい、あるいは、まだ信者ではないが、よく一般の教養を具《そな》えている者でもよい、年をとっていようが、まだ幼い者であろうが、それも構わない。とにかくどのような人であろうとも、この教えを聞いて『有難い』という喜びを感じながら、その説法《せっぽう》の場所から出て、他の所へ行ったとしましょう。

そこが僧坊《そうぼう》であってもよい、浮き世を離れた静寂《せいじゃく》の地であってもよい。あるいは都のにぎやかな町でも、田舎《いなか》の村でも、田畑の中の里でもよい、どんな所でもよいから、いま聞いた教えを、聞いたとおりに、父母や、親戚《しんせき》や、善き友人や、知り合いの人びとに対して、自分の力でできるだけの程度でいいから、熱心に話してあげたとしましょう。

それを聞いた人たちもまた、有難いという喜びを覚えて、あちこちへ出かけては他の人びとに教えの話を伝えたとしましょう。それを聞いた人びとが、また随喜《ずいき》の心を起こして、また教えを他へ伝えたとしましょう。こうして教えが転々と展開してゆき、それが五十回も繰り返されたとしましょう。

二九七―二―中
阿逸多よ。その五十回目に当たる善男子《ぜんなんし》・善女人《ぜんにょにん》が、教えを聞いて、有難いという感激を覚えたとしたら、その功徳すらも、まことに大きなものがあるのです。

今、それを説いて聞かせますから、よく聞きなさい。

もし、この宇宙間に存在するありとあらゆる生あるもの、すなわち人間界《にんげんかい》にいるものはもとより、天上界《てんじょうかい》にいるものも、畜生《ちくしょう》・餓鬼《がき》・修羅《しゅら》・地獄界《じごくかい》にいるものも、あるいは鳥・獣から虫や微生物に至るまで、とにかく生あるもの一切に対して、ある人がそれらのものを幸せにしてあげようと思い、それらの一つひとつが生活を楽しむために欲しているものを、すべて与えたとしましょう。

たとえば、一人ひとりの人間に、この地上に満ちている金《きん》・銀《ぎん》・瑠璃《るり》・硨磲《しゃこ》・碼《め》碯《のう》・珊瑚《さんご》・琥珀《こはく》のようなもろもろの珍しい宝物、それから、象や、馬や、車や、七《しっ》宝《ぽう》で飾った建物など、それぞれが欲しているあらゆる物を与えたとしましょう。

ところが、その大施主《だいせしゅ》が、八十年間もそうやって布施《ふせ》を続けてから、さて次のように考えました。『わたしは衆生《しゅじょう》の欲するとおり、生活を楽しむための物を与えてきた。しかし、この衆生たちはだんだん年をとり、からだは衰《おとろ》え、髪は白く、顔は皺《しわ》だらけになり、死期も次第に近づいている。だから、仏法《ぶっぽう》をもってこの人たちを教え導くことが必要だ』と。

そう考えましたので、それらの人びとを集め、法を説き聞かせて教化《きょうけ》し、みんなを、喜んで法を学び、実践するような気持にしてあげました。そこで、その人びとは、仏の教えを学ぶものが得られるさまざまな段階の境地を一時に得、すべての迷いを除き尽くし、どんな場合にも精神が深く落ち着いており、どんな境遇にも心をふり回されぬ自由自在な心境を得、そして、迷いから解脱《げだつ》するさまざまな種類の禅定《ぜんじょう》をことごとく具えた境地に達したとしましょう。そなたはどう思いますか。この大施主の得る功徳は、多いと思いますか。少ないと思いますか」

弥勒菩薩は、すぐお答え申し上げました。

「世尊。この人の受ける功徳は、まことに量り知れないほどでございましょう。ただたんに衆生の生活を助けるあらゆる物を施《ほどこ》してすら、その功徳は無量《むりょう》でありましょうに、ましてやこの人は、一切の心の迷いまで取り除いてあげたのでございますから……」

すると世尊は、一段と語調を強められて、弥勒菩薩におおせられました。二九八—五—下

「では、ここで、はっきり言っておきましょう。この人は、宇宙間のあらゆる生あるものに対して、あらゆる物質上の施しをした上に、あらゆる煩悩《ぼんのう》まで除いてあげるという精神的な施しまでしました。ところが、そのことによって得る功徳も、さきに述べた第五十番目の人が法華経のたった一つの偈を聞いて喜びを感じたその功

徳にくらべれば、はるかに及ばないものなのです。その百分の一、千分の一、あるいは百千万億分の一にも及びますまい。いや、数の上で比較することは不可能なほどです。

二九八―一〇―上 阿逸多よ。法華経の教えを、五十人も展転《てんでん》してから聞いて喜びを覚えたその功徳すら、このように偉大です。ましてや、最初に法会《ほうえ》の中で聞いて随喜の心を起こした人の受ける功徳となると、まことに無量無辺《むりょうむへん》であって、くらべるものもないのです。

二九九―一―上 また、阿逸多よ。ある人がこの法華経の教えを聞こうと思って僧坊に行き、坐ってでも立ってでもよい、ほんのしばらくでも説法を聞いたとすれば、その功徳によってその人は、たいへんよい所へ生まれ変わるでしょう。非常にりっぱな乗り物に乗って、天上界の宮殿へのぼることができましょう。

また、ある人が説法の座に坐っている時、後から人が入ってきたのを見て、『さあ、ここへ坐ってお聞きなさい』と勧めたり、あるいは自分の席を半分ゆずって坐らせたりしたとすれば、その人はその功徳によって、次の世に生まれ変わる時は、帝釈天《たいしゃくてん》とか、梵天王《ぼんでんのう》というような天界の善神《ぜんじん》の側に行けるか、その娑婆世界《しゃばせかい》ならば、転輪聖王《てんりんじょうおう》とならんで坐ることができるでしょう。
阿逸多よ。（二九九―六―下）もしある人が他の人に向かって、『法華経という教えを説いている人がいますが、一緒に行って聞こうではありませんか』と、誘《さそ》ったとしましょう。そして、誘われた人がそのとおりにして、しばらくの間でも教えを聞いたとすれば、誘った人はその功徳によって陀羅尼菩薩《だらにぼさつ》と同じ所に生まれ変わり、真理を受け入れる機根《きこん》が鋭く、本当の智慧《ちえ》を具えた人となりましょう。

その人は後の世までも、口がきけなくなることもなく、口の息が臭《くさ》いこともなく、舌にも、口にも病《やまい》をもつこともありません。歯が黒くあるいは黄色くなることもなく、間が空《す》くこともなく、欠け落ちることもなく、不規則に生えることもなく、曲ることもありません。唇《くちびる》が垂《た》れ下がることもなく、ひきつり縮むこともなく、粗《あら》く下品なこともなく、唇にできものができることもなく、その一部が欠損することもなく、歪《ゆが》むこともなく、厚くもなく、大きくもなく、黒ずむこともなく、それらすべてのいやな相《そう》がないでしょう。

鼻は平べったくなく、曲ることもなく、顔色は黒くなく、顔形も狭く長かったり、あるいは歪んでいるというような、願わしくない人相は一切ありません。唇も、舌も、歯も、みんな正しく美しいすがたであり、鼻は長く、高く、まっすぐで、顔立ちは円満に、眉《まゆ》は高く、長く、額《ひたい》は広く、平らで、このようなりっぱな人相が、すべて具わるでありましょう。

それればかりでなく、その人は、なんど生まれ変わっても、必ず仏に遇《あ》いたてまつることができ、法を聞き、その教えを信受《しんじゅ》することでありましょう。

阿逸多よ。しばらくのあいだ心を鎮め、この真実をじっと思いめぐらしてみなさい。ただ一人に勧めて法を聞かせる功徳も、これほどのものがあるのです。ましてや、自ら教えを一心に聞き、読誦《どくじゅ》し、しかも多くの大衆のためにさまざまに説き分けて教えを伝え、それらの人がそのとおり実践したならば、どれほどの功徳があるか分からないのです」

世尊は、今お説きになったことを、重ねて偈によってお教えになりました。

ある人が、説法会においてこの教えを聞き、ただの一偈にでも喜びを覚え、それを他の人に伝えたとしよう。伝えられた人はまた次の人へ、その人はまた次へと、五十人の間を転々と伝えられたとしよう。その五十人目の人がどのような功徳を得るか、いま詳しく説き聞かせよう。

もし、ここに大施主があり、無数の人びとにそれぞれ欲する物を布施し、相手が八十歳にも達するまで施し続けたとしよう。八十にもなれば、老い衰え、髪は白く、顔は皺み、歯は空き、五体は枯木のようになる。それを見ると、はや死期も遠くないことが分かる。

三〇一―三―上 その大施主は思った。「こうなっては、仏の教えを説き、心に善い実を結ばせるよりほか、施すものはない」そこで、さまざまに工夫《くふう》し、迷いを除き解脱を得るための教えを説いてあげたとしよう。

三〇一―四―中 そして、人びとに向かい「この世のあらゆる存在は、すべて恒常的なものではない。あたかも、水の上に浮かぶ泡《うたかた》のごとく、あるいは燃える焔《ほのお》のごとく、常なきものである。そのような頼りにならぬものにとらわれる心を、捨てることこそ大事である」と説いた。

人びとは、それを聞いて迷妄《めいもう》の夢からさめ、現象の転変にまどわされぬ境地に達し、広々とした自由自在の心を得たとしよう。大施主の功徳は、まことに大なるものと言わねばならない。三〇一―六―下 ところが、法華経の一偈でも聞いた人が、それを他の人に伝え、かくして次々に五十人を展転し、最後の人がその偈を聞いて随喜の心を起こしたとするならば、その人の受ける功徳は、さきの大施主のそれよりはるかにすぐれ、比較を絶するものである。

三〇一―八―上 このように、次々に語り伝えられた教えを聞いた人が受ける功徳さえ無量であるから、ましてや、初めに説法会においてそれを聞き、随喜の心を起こした人の受ける功徳は、はるかに大なるものである。

三〇一―九―中 また、もし、ある人に勧めて、共に法華経の教えを聞こうと誘い、「この教えは非常に奥深く、有難いもので、千万劫《こう》の間にも遇い難い教えである」と告げたとしよう。誘われた人が、その言葉に従って説法会に行き、しばしの間でも法華経の教えを聞いたとすれば、勧めた人の受ける功徳がいかばかりであるか、いま詳しく説明しよう。

その人は、いくたびこの世に生まれ変わろうと、口の病がなく、歯が空き、あるいは黄色く、あるいは黒いことはない。唇が厚かったり、ひきつっていたり、欠けていたりなどの醜《みにく》い相もない。舌が乾いていたり、黒ずんでいたり、あるいは短いこともない。

鼻は高く、長く、まっすぐで、額は広く、平らであり、顔立ちすべてが端正《たんせい》、かつ威厳に満ち、多くの人がその顔を見ることを喜びとするであろう。口に悪臭がなく、青蓮華《しょうれんげ》のようなさわやかな香りが、常に放たれているであろう。

三〇二―三―下

もし、わざわざ精舎《しょうじゃ》に行って法華経を聞こうと願い、わずかばかりの間でもその教えを聞いて、喜びを覚えるものがあったならば、その人の受ける功徳は次のごとくであろう。すなわち、来世《らいせ》には天上界もしくは人間界に生まれ、もし人間界に生まれれば王者の身となり、もし天上界に生まれれば天の宮殿に住む身となろう。

もし法華経講義の場において、他の人に、坐って聞くよう勧めたとしよう。それだけの行いの因縁《いんねん》によって、その人は、帝釈天・梵天王とならんで坐れるようなものとなるであろう。ましてや、この教えを一心に聞き、理解し、しかもその意義を他の人のために解説し、それを聞いた人が感動して説のごとく修行したとすれば、その功徳は、まさに無限大のものであろう。

法華経を説く者の功徳（法師功徳品《ほっしくどくほん》第十九）

その時、世尊《せそん》は、常精進菩薩《じょうしょうじんぼさつ》に向かってお告げになりました。

「もし信仰心の深い男女が、この法華経《ほけきょう》を信じ、読誦《どくじゅ》し、人のために解説し、または書写《しょしゃ》したとしましょう。その人は、まさに八百の眼《まなこ》の功徳《くどく》・千二百の耳の功徳・八百の鼻の功徳・千二百の舌の功徳・八百の身の功徳・千二百の意《こころ》の功徳を得るでありましょう。その功徳をもって、すべての感覚・知覚器官の作用を美しく、清らかなものにするでありましょう。

三〇三―六―中 眼の功徳はどんなものかと言いますと、この善男子《ぜんなんし》・善女人《ぜんにょにん》は、父母から与えられた(100)肉眼が非常に澄んできて、三千大千世界の内外のあらゆる山・林・河・海を見ることができ、下は地獄《じごく》のどん底から、上は最高の天界まで見通すことができましょう。また、その中に住んでいるあらゆる生きものの生態を手に取るように見ることができるばかりか、それらの生きもののなす行為の、原因から結果およびその影響まで、ことごとく見、知ることができましょう」

世尊は、そのことを重ねて偈《げ》によってお説きになりました。

もし多くの人びとの中で、何ら恐れはばかるところなく、この法華経を説くならば、その功徳は次のごとく偉大なものであろう。よく聞くがよい。

その人は、高い徳《とく》と力を具《そな》えた、最もすぐれた眼を得るであろう。その徳と力によって、すべてのものの本質をありありと見ることができよう。

父母から与えられた肉眼でさえも、三千世界のすべてを見ることができよう。

すなわち、弥楼山《みるせん》・須弥山《しゅみせん》・鉄囲山《てっちせん》などの高山をはじめとし、その他の山も、林も、大海も、大河・小川の流れも、下は阿鼻地獄《あびじごく》より上は有頂天《うちょうてん》に至るまで、すべて見通すことができよう。しかも、その中に住むもろもろの生きもののすがたを、すべて見極めることができよう。まだ(100)天眼《てんげん》を得るには至らずとも、肉眼にこれほどの能力を具えることができよう。

三〇四―六―上
「常精進よ。次に、もし善男子・善女人がこの経を受持《じゅじ》し、読誦し、人のために解説し、書写したとしましょう。その人は耳の功徳も大いに得るでありましょう。

その人は澄みきった聴覚をもって、三千世界の、下は阿鼻地獄から上は有頂天に至るまでの、あらゆる音や声を聞き分けることができましょう。すなわち、話されている言葉の内容、象・馬・牛などの鳴き声の意味、車のひびきによるその状況、泣き叫ぶ声や嘆き悲しむ声に含まれるその心、ほら貝・鼓《つづみ》・鐘《かね》・鈴の音にこもる情《じょう》、笑う声・語る声・男の声・女の声・男の子の声・女の子の声に表れるそれぞれの気持、法を説く声、非法《ひほう》のことを説く声、苦しみの声、楽しみの声、凡夫《ぼんぷ》の声、聖人の声、喜びの声、喜んでいない声、天人の声、竜《りゅう》・夜叉《やしゃ》・乾闥婆《けんだつば》・阿修羅《あしゅら》・迦《か》楼羅《るら》・緊那羅《きんなら》・摩睺羅伽《まごらが》などの鬼神《きじん》の声、火の燃えるひびき、水の音、風の叫び、地獄・畜生《ちくしょう》・餓鬼道《がきどう》にいる者の苦しみの声、比丘《びく》・比丘尼《びくに》・声聞《しょうもん》・縁覚《えんがく》などが仏道《ぶつどう》を修行《しゅぎょう》している声、菩薩や仏が法を説いておられる声などを、ありのままに聞くことができましょう。

要するに、まだ天耳通《(12)てんにつう》を得ていない、父母から与えられたままの耳でも、その耳が澄んでいるために、三千大千世界の一切の場所における、ありとあらゆる声を、ことごとく聞き知ることができましょう。そして、このようにさまざまな音声を聞き分けても、耳のはたらきの根本をそこない、混乱を起こすことはありますまい」

世尊は、今お説きになったことを、偈によって、重ねてお説きになりました。

父母から与えられたままの耳でも、信仰の進んだ人のそれは清らかで汚《けが》れがないゆえ、その普通の耳をもって三千世界のすべての声を聞くことができよう。象・馬・牛の声、車のひびき、鐘・鈴・ほら貝・鼓の音、小琴《こごと》・大琴《おおごと》・竪琴《たてごと》の音、簫《しょう》・笛の音、澄みきった声で歌われる美しい歌のしらべなど、いずれを聞いても心を喜ばせ、しかも、それに執《しゅう》して迷いを起こすことはないであろう。無数の人びとの、さまざまな声を聞き、そのすべてを聞き分け、声に含まれている心情をよく了解することもできよう。

また、もろもろの天人の話し声や、その美しい歌声を聞くことができ、男女の声や童子・童女の声はもとより、山川《さんせん》・峡谷《きょうこく》に鳴く迦陵頻伽《かりょうびんが》や命命鳥《みょうみょうちょう》など諸鳥の声も、すべて聞き分けることができよう。

地獄界に住む人びとの苦痛の叫び、さまざまな呵責《かしゃく》を受けて上げる悲鳴、餓鬼道に堕《お》ちている者が、飢《う》え渇きに迫られ、必死に飲食《おんじき》を求めて発する声、もろもろの阿修羅どもが大海のほとりに群れ、喚《わめ》き合っている声、このようなまがまがしい声を聞いても、この説法者《せっぽうしゃ》は常に平静な心を保ち、このような大音声《だいおんじょう》が入り乱れるのを聞いても、聴覚をそこなうようなことはないであろう。

十方世界の鳥や獣が、鳴いて呼び合う声も、その説法者はいながらにしてことごとく聞くことができよう。また、天上界《てんじょうかい》の、光音天《こうおんてん》や偏浄天《へんじょうてん》から最高の有頂天に至るまでに住むもろもろの天人の声も、地上に住しながらことごとく聞くことができよう。

一切の比丘・比丘尼が、経典《きょうでん》を読んだり、他人のために説いているのを、いながらにしてすべて聞くことができよう。また、もろもろの菩薩が、経法《きょうぼう》を読誦し、他のために説き、多くの教えを選び集めて書を著《あらわ》し、その意味を解説している声をも、ことごとく聞くことができよう。

衆生《しゅじょう》を教化《きょうけ》したもうもろもろの仏が、あなたこなたの大説法会《だいせっぽうえ》において、深遠《しんえん》な教えを説かれているみ声を、この法華経の教えを受持するものは、ことごとく聞くことができよう。

下は阿鼻地獄より、上は有頂天に至るまで、三千大千世界の内外のすべての音声を聞いても、耳のはたらきのそこなわれることはないであろう。その耳のはたらきは、実に聡《さと》く、鋭く、すべてを正しく聞き分け、誤りなく知ることができよう。

この法華経の教えを心から受持するものは、まだ天耳通を得ていなくとも、生《しょう》得《とく》の普通の耳によってすら、右に述べたような偉大な能力を発揮するであろう。

三〇七—三—上
「また常精進よ。もし善男子・善女人がこの教えを一心に受持し、読誦し、人のために解説し、あるいは書写したとしましょう。その人は多くの偉大な嗅覚《きゅうかく》のはたらきを具えることができましょう。その清浄《しょうじょう》で誤りのない嗅覚をもって、三千大千世界の上下・内外のさまざまな香りを、嗅《か》ぎ分けることができましょう。

須曼那華《しゅまなけ》の香り、闍提華《しゃだいけ》の香り、末利華《まつりけ》の香り、瞻蔔華《せんぼつけ》の香り、波羅羅華《はららけ》の香り、赤い蓮《はす》の花の香り、青い蓮の花の香り、白い蓮の花の香り、もろもろの花咲く木の香り、もろもろの実のなる木の香り、栴檀《せんだん》の香り、沈水《じんすい》の香り、多摩羅樹《たまらじゅ》の葉の香り、多伽羅樹《たからじゅ》の香り、及びさまざまの香《こう》を調合したものの香り、あるいは粉にし、あるいは丸め、あるいはからだに塗《ぬ》るために液体にしたもの、それらのすべての香りの中にいても、この教えを受持するものは、すべてよく嗅ぎ分けることができましょう。

また、もろもろの生きものの匂い、すなわち、象・馬・牛・羊の匂い、男・女・

少年・少女の匂い、及び草木・やぶ・林などの匂いをわきまえ知ることができましょう。近くにいても、遠くにいても、あらゆるものの匂いをことごとく嗅ぎ分けて、誤ることはないでしょう。

この教えを一心に持《たも》つものは、地上に住んでいても、さまざまな天上界の香りを嗅ぐことができましょう。波利質多羅《はりしったら》や拘鞞陀羅《くべいだら》という木の香り、曼陀羅華《まんだらけ》や摩訶《まか》曼陀羅華《まんだらけ》の香り、曼殊沙華《まんじゆしやけ》や摩訶《まか》曼殊沙華《まんじゆしやけ》の香り、栴檀・沈水その他の抹香《まつこう》の香り、いろいろな花の香り、これらの天上の香りがさまざまに溶け合っている香りなど、すべて嗅ぎ知ることのできないものはありますまい。

また、もろもろの天人のからだの香りを、嗅ぐこともできましょう。帝釈天《たいしやくてん》がりっぱなご殿におられて、美しいものを見たり、妙《たえ》なる音楽を聞いたりなどして楽しんでおられる時の香り、あるいは妙法堂《みようほうどう》におられて、忉利天《とうりてん》の天人たちのために説法される時の香り、もしくはさまざまな庭園をそぞろ歩きされる時の香り、及びそのほかの男女の天人の身の香りなど、すべてをはるかに嗅ぎ知ることができましょう。このようにして、だんだん上の天界に上《のぼ》り、梵天《ぼんでん》から最高の有頂天に至るまでのもろもろの天人の身の香りも、また天人たちの焼《た》く香の香りも、嗅ぎ知ることができましょう。

声聞の香りも、縁覚の香りも、菩薩の香りも、諸仏《しょぶつ》のおからだの香りも、遠くから嗅ぐことができて、それによってどこにおられるかを知ることができましょう。

以上のように、あらゆるものの香りを嗅ぎ分けて、しかも嗅覚のはたらきをそこなったり、混乱させたりすることはありますまい。また、それらを分別《ふんべつ》して他人に伝える時も、よく覚えていて、まちがうことはないでしょう」

世尊は、今お述べになったことを、偈によって重ねてお説きになりました。

この人の鼻のはたらきは、鋭く、正しく、この世界に存在する香《かん》しいもの、悪《あく》臭《しゅう》あるもの、すべてを嗅ぎ知ることができよう。

須曼那華・闍提華・多摩羅跋《たまらばつ》・栴檀・沈水・桂香《けいこう》、その他の種々の花や実の香り、及びもろもろの生きものの香り、男子・女子の身の香りなど、このような説法者は、遠く離れた所より、香りを嗅いでその所在を知ることができよう。

大きな勢力をもつ大王・小王・及びそれらの王子・多くの家来《けらい》・宮殿に仕える人びとなどをも、その香りによって所在を知ることができよう。また、それらの人の身につけている珍しい宝物、あるいは地中に埋蔵《まいぞう》されている貴重な資源や宝物、あるいは転輪王《てんりんのう》のご殿にいる美しい婦人など、すべてその香りによって所在を知ることができよう。

いろいろな人が身につけている装身具、衣服や首飾《くびかざ》りの類、または顔や手足に塗っている化粧品や香油などの香りによって、その人を知ることができよう。

もろもろの天人が、歩いたり、坐ったり、遊んだり、もしくは神変《じんぺん》を現したりしているのも、この法華経の教えを一心に持《たも》つ人は、その香りによってことごとく知ることができよう。

さまざまな花や、果実や、乳酪油《にゅうらくゆ》なども、その香気を嗅ぐことにより、いながらにしてその所在を知ることができよう。山々がそばだち、重なり合っている奥に、栴檀の木が花を開き、また、そこにいろいろな生きものが住んでいるのも、香りによって知ることができよう。

鉄囲山のような高山の奥や、大海の底や、あるいは地中に住んでいるもろもろの生物《せいぶつ》についても、この教えを受持するものは、匂いによってすべてその所在を知ることができよう。また、阿修羅の男女や、その家来たちが、闘い合い、いがみ合い、もしくはふざけ合っている時も、匂いによってそれを知り分けることができよう。

荒野の中や、険しい谷間などに、師子《しし》・象・虎・狼・野牛・水牛などがいるのも、匂いによってその所在を知ることができよう。また、妊婦《にんぷ》の胎内《たいない》の児《こ》が、男であるか、女であるか、性別のあいまいな異常児であるかどうかを、普通の人は知るよしもないが、この教えを一心に受持するものは、匂いによって知り分けることができ、初めて妊娠した人がはたして子を産むことができるか、流産・死産に終わるか、また安楽にりっぱな子を産めるか、それらをも知ることができよう。また、そのような鼻のはたらきによって、男や女の考えていることも、煩悩《ぼんのう》や欲望も、愚《おろ》かな心や恚《いか》りの心を持っているかどうかも分かり、また、善行《ぜんこう》を修めているものをも、知ることができよう。

地中に埋まっている金・銀のような貴金属、銅器に盛られた宝なども、その匂いによって知ることができよう。さまざまな瓔珞《ようらく》の、価値不明の物も、その香りによって、質の上下・出所《しゅつしょ》・所在の場所などを知ることができよう。

天上に咲く曼陀羅華・曼殊沙華の花や、波利質多の大樹も、その香りによってはるかに知ることができよう。天上界の、もろもろの宮殿の上・中・下の違いも、それらの宮殿をいろどる美しい花々も、香りによってことごとく知ることができよう。

天上界の花園《はなぞの》も、林も、りっぱな宮殿も、楼台《ろうだい》も、説法堂も、それらの中で天人たちが楽しく暮らしている様子も、香りによってことごとく知ることができよう。天人たちが、あるいは法を聞き、あるいは生活を楽しんでおり、あるいは往《ゆ》き来し、あるいは坐ったり、あるいは寝ているありさまも、香りによってことごとく知ることができよう。

天人の衣の、花で美しく飾り、匂いのいい香をふりかけたのが、あちこちと行きかい、ひらひらとなびいているのを、その香りによってことごとく知ることができよう。かくして、だんだん上って梵天に至り、そこで禅定《ぜんじょう》に入っている人や、禅定から立ち上がった人まで、香りによってすっかり知ることができよう。

さらに上って、光音天・偏浄天、さらに最高の有頂天に至るまで、そこで初めて生まれた者も、あるいはそこでの生命を終わる者も、香りによってことごとく知ることができよう。

もろもろの比丘たちが、常に法の修行に精進《しょうじん》し、あるいは坐禅《ざぜん》し、あるいは歩きながら思索《しさく》し、あるいは経法を読誦し、あるいは林の木の下で、心を清め、思いを一つに集中して坐禅しているのも、この教えを深く持《たも》つ者は、その香りによってことごとく知ることができよう。

堅固《けんご》な求道《ぐどう》の志《こころざし》を持つ菩薩が、坐禅したり、経を読んだり、あるいは人のために説法しているのを、その香りによってことごとく知ることができよう。また、方々にまします仏が、一切のものに恭敬《くぎょう》されながら、衆生に対する慈悲《じひ》の心から法を説いておられるのも、その香りによって、ことごとく知ることができよう。

衆生たちが、仏のみ前で法を聞き、みな歓喜《かんき》して、教えのとおり修行するのも、その香りによってことごとく知ることができよう。

以上のように、この経の教えを深く受持する者は、あらゆる迷いのない、真如《しんにょ》から生まれた嗅覚をまだ成就《じょうじゅ》していなくても、このような偉大な能力を発揮するのである。

三二一―二―上
「また、常精進よ。もし善男子・善女人がこの教えを深く受持し、読誦し、人のために解説し、書写したならば、非常に多くの舌の功徳を得るでありましょう。見るからにりっぱな食べ物でも、見かけの悪い食べ物でも、味のよい物でも、よくない物でも、また苦い物や渋い物でも、そのような人の舌根《ぜっこん》で味わえば、みな変じて上味《じょうみ》となり、天の甘露《かんろ》のようにおいしく感じられぬ物はありますまい。

もし、その舌のはたらきをもって、大衆の中で法を説くならば、深いひびきのある音声を出して、説く内容を深く人びとの心に染《し》み入らせ、すべての人に快《こころよ》い感動を覚えさせ、喜びを与えるでありましょう。

もろもろの天界の天子も、天女も、帝釈天・梵天王のような神々まで、その人が奥深い微妙《びみょう》なひびきをもつ声で法を説き、その説くところが理路整然としているのを聞いては、ことごとく来聴するでありましょう。そればかりでなく、もろもろの鬼神の類も、法を聞くためにやって来て、その人に親しみ、近づき、恭敬し、帰依《きえ》・感謝のまごころをささげるでありましょう。

また、出家《しゅつけ》・在家《ざいけ》の仏道修行者も、国王も、王子も、多くの大臣たちも、家来たちも、小王も、大王も、最高の転輪聖王《てんりんじょうおう》も、その家来たちも、一家眷属《けんぞく》をあげて共にやって来て、法を聞くでありましょう。また、この菩薩は、非常に巧《たく》みに説法しますので、最上流階級の者も、民間の有力者も、一般人民たちも、一生涯その人の身の回りの世話をし、供養《くよう》するでありましょう。もろもろの声聞も、縁覚も、菩薩も、常にその人に会うことを願い、諸仏もやはり、その人に会うことを欲せられるでありましょう。諸仏はすべて、その人のいるほうに向かって、法をお説きになりましょう。その人は、一切の仏法《ぶっぽう》をことごとく受持しているゆえに、深いひびきのある微妙な声で、その法を説くでありましょう」

世尊は、今お述べになったことを、重ねて偈によってお説きになりました。

その人は、舌のはたらきが清らかであるゆえに、一生わるい味を味わうことがないであろう。食べる物はすべて、甘露の味に変わるであろう。その人は、深いひびきをもつ清らかな声で、大衆に法を説き、あるいは過去の実例を引き、あるいは巧みな譬《たと》えを用いて、衆生の心を仏道に引き入れるであろう。聞く者はみな喜びを覚え、最上の方法によりさまざまに供養するであろう。また、人間以外のあらゆる生あるものも、みな恭敬の心をもってその人の所に詣《まい》り、共に法を聞くであろう。

その人が、その妙なる説法の声を三千世界にゆきわたらせようと思うならば、まこと意のとおりになるであろう。三千世界の大小の王から、最高の聖王《じょうおう》に至るまで、そしてその家来たちもことごとく、その人に向かって合掌し、心からなる敬いをささげながら、常に法を聞くであろう。

もろもろの天上界のものも、鬼神も、あるいは悪鬼までも、常に歓喜の心をもって、進んでその人を供養するであろう。また、梵天王・魔王《まおう》・自在天《じざいてん》・大自在天など天上界の存在も、常にその人の所に詣でるであろう。また、諸仏およびその弟子たちは、その人の説法の声を聞いて、常にかげながら守護し、場合に応じては、その身を現されることもあろう。

三一四—五—上
「次に常精進よ。もし信仰深い人たちが、この教えをしっかり受持し、読誦し、人のために解説し、書写したならば、その身に数多くの功徳を得るでありましょう。その人は、一点の曇《くもり》もない瑠璃《るり》のように清らかな身となり、多くの衆生が、こぞってその人に会うことを願うようになりましょう。

その身が清らかな、曇のないものでありますから、三千大千世界のあらゆる生きものが、生まれたり死んだりする時、その性質の上下や、その姿の美醜《びしゅう》や、その生まれる場所の善悪などが、ことごとくその身に映し出されることでしょう。普通の人のとても行けない鉄囲山・大鉄囲山・弥楼山・摩訶弥楼山のような高山に住む山の王や、もろもろの生きものの姿も、ことごとくその身に映ることでしょう。下は阿鼻地獄から、上は有頂天に至るまでの、すべての存在およびすべての生きものたちの姿が、その身に映し出されることでしょう。また、声聞・縁覚・菩薩たちが説法しているところや、諸仏が教えをお説きになっているところが、その人の身に、ありありとしたお姿となって現れるでありましょう」

その時、世尊は、今お述べになったことを、重ねて偈によってお説きになりました。

法華経の教えをよく身に持《たも》つ者は、その身の清らかなことは曇ない瑠璃のごとくであって、衆生は皆、その人の姿を見ることを喜び欲するであろう。鮮明な鏡にすべてのものの姿がありのままに映るように、その菩薩の清らかな身には、この世のすべての存在の様相が、如実《にょじつ》に映し出されるであろう。ただし、これは、そのような菩薩だけが明らかに見うるものであって、他の人にとっては不可能であろう。ともあれ、一切の生物・天上界の人・人間界の人をはじめとし、修羅界・地獄界・餓鬼界・畜生界にいるすべての生あるものの姿が、その身に映し出されるのだ。

上は有頂天に至るまでの、もろもろの天界の宮殿も、鉄囲山・弥楼山・摩訶弥楼山の姿も、もろもろの大海のありさまも、皆その人の身に映し出されるであろう。また、諸仏をはじめとし、声聞や、仏の子である菩薩などが、あるいは一人のために、あるいは多くの衆のために説法しているありさまも、ことごとく映し出されるであろう。まだ真如《しんにょ》そのままの身を成就してはいなくとも、普通の身をもってしても、それらのもの一切が如実に映し出されるであろう。

三一五―二―上
「また、次に常精進よ。もし信仰深い男女が、如来《にょらい》が入滅《にゅうめつ》した後の世において、この教えをしっかり受持し、読誦し、人のために解説《げせつ》し、書写したとしましょう。その人は、非常に多くの心の功徳を得るでありましょう。そのような人は、心の奥底から清らかに澄みきっていますから、仏の教えのただの一偈もしくは一句を聞いただけで、それに含まれている無量無辺《むりょうむへん》の意義を、くまなく知ることができましょう。また、その意義をすっかり理解してしまったら、その一偈一句について、一か月、二か月、いや一年間も説法をし続けても、その説く法は、常に正しい意義にかなったものであり、諸法実相《しょほうじっそう》の教えからはずれることはないでしょう。

三二六—三—下 もし、その人が、日常生活についての教えや、世を治めるための言論や、産業についての指導などを行っても、それらは、おのずから正法《しょうぼう》に合致するものでありましょう。

この三千大千世界のありとあらゆる境遇にいる衆生が、心の中にどんなことを思っているか、心がどんなはたらきをしているか、あるいは、どんなつまらぬことを考えているかを、ことごとく知ることができるでしょう。なぜかと言えば、まだその人は、迷いをすっかり払い去り、実相をありのままに見る智慧《ちえ》を得るまでには至っていないにしても、心の奥底から清浄になっているために、そのような能力を発揮できるのです。

そして、その人が、あることについてその真実を思いめぐらし、これはこうしなければならぬと考え、それを口に出して説く時は、それがそのまま仏法に当てはまっていて、真実にはずれることは一つもなく、また、あらゆる仏がかつて説かれたことにも一致するのであります」

その時、世尊は、今お述べになったことを、さらに偈によってお説きになりました。

この人の心は、たいへん清らかで、ものごとの真相に透徹《とうてつ》し、汚れや濁《にご》りがない。そのような素晴らしい心のはたらきによって、仏の説く、程度の低い教えから最高の教えまでことごとく知り、ただ一偈を聞いただけで、それに含まれる広大な意味に通達《つうだつ》することができよう。

そして、順序を追い、法の本義に従って、一か月、四か月、一年という長い間でも、それを解説することができよう。

この世界の内外に住む天人や、普通の人間や、竜・夜叉のような鬼神の類などが、六道《ろくどう》のどの境界《きょうがい》にいるか、どういう考えをもっているかというさまざまな区別を、この法華経の教えを持《たも》つ功徳によって、一時にすべて知ることができよう。

もろもろの高い徳によって身を輝かしておられる十方の無数の仏さま方が、衆生のために説法なさるその教えを、この人はことごとく聞いて受持するであろう。量り知れないほど奥深いその意味を思いめぐらし、それを人に説く時は、自由自在にどんな説き方でもでき、しかも、教えの本義を忘れたり、誤ったりすることはないであろう。それも、ひとえに、法華経の教えを持《たも》つがゆえの功徳である。

すべての教えの本義を知り、その本義に従って、説くべき順序を知り、どういう言葉を用い、どう説くべきかという方法に通達し、自分が知りえたと同様に、人にも説いて聞かせるであろう。

その人の説くところは、過去の諸仏の説かれた法と必ず一致するであろう。そのような法を説くのであるから、いかに多数の人に向かって説法しても、けっして恐れはばかるところはないであろう。

法華経の教えを持《たも》つ者は、意《こころ》が清浄なために、このようなはたらきができるのである。まだ迷いをすっかり払い去った境地には達しなくとも、このような相《すがた》になれるのである。かくして、この教えを持《たも》つことによって、希《まれ》にしか達しえない高い境地に安住することができ、一切衆生に親しまれ、敬《うやま》われるであろう。

その人は、無数の、正しくて巧みな言葉を自由自在に駆使し、相手の機根《きこん》に応じて適切に説き分け、だれの心にも染み入るように説法することができよう。

それというのも、ひとえに、法華経の教えを受持しているがゆえである。

すべての人の仏性を拝む（常不軽菩薩品《じょうふきょうぼさつぽん》第二十）

そのとき世尊《せそん》は、得大勢菩薩《とくだいせいぼさつ》を代表とするすべての菩薩たちに向かってお告げになりました。

「皆さん、今こそしっかりと悟《さと》らなければなりません。もし、法華経《ほけきょう》の教えを信じ、実践している出家《しゅっけ》・在家《ざいけ》の修行者《しゅぎょうしゃ》たちに対して、悪口を言ったり、罵《ののし》ったり、あてこすりを言ったり、または欠点を言い立てて謗《そし》ったりするようなことがあったならば、その大きな罪の報《むく》いを受けなければならないでしょう。このことは、前にも説いたとおりです。

三一八―四―下 それと反対に、法華経を行ずる人びとの受ける功徳《くどく》は、今も説いたように、眼・耳・鼻・舌・身・意《こころ》の六根《ろっこん》が清浄《しょうじょう》となるという広大なものであります。

三一八―五―下 得大勢菩薩よ。量り知れないほど遠い遠い昔のこと、威音王如来《いおんのうにょらい》・応供《おうぐ》・正偏知《しょうへんち》・明行足《みょうぎょうそく》・善逝《ぜんぜい》・世間解《せけんげ》・無上士《むじょうじ》・調御丈夫《じょうごじょうぶ》・天人師《てんにんし》・仏《ぶつ》・世尊というお名前の仏がおられました。その時代の名を離衰《りすい》、国の名を大成《だいじょう》と言いましたが、威音王如来は、そこで、天人《てんにん》や人間や鬼神《きじん》たちのために法をお説きになりました。声聞《しょうもん》の悟りを求める者のためには、それに適切な四諦《したい》の法門《ほうもん》を説いて、生《しょう》・老《ろう》・病《びょう》・死《し》という人生苦から逃れさせ、安心《あんじん》の境地を究《きわ》めさせせられました。縁覚《えんがく》の境地を求める者に対しては、それにふさわしい十二因縁《じゅうにいんねん》の教えを説かれました。また、もろもろの菩薩のためには、最高の悟りを得る道である六波羅蜜《ろくはらみつ》の法を説いて、仏の智慧《ちえ》を究めるように導かれました。

得大勢よ。この威音王仏《いおんのうぶつ》のご寿命《じゅみょう》は、四十万億那由他恒河沙劫《まんのくなゆたごうがしゃこう》という、はかりしれぬほど長いものでありました。そして、その教えが正しく行われた時代（正法《しょうぼう》）は、仮にこの世界を粉末にしたとするその粉末の全粒子《りゅうし》の数ほど続き、また、形の上だけでも教えが正しく伝えられた時代（像法《ぞうぼう》）は、その数倍ほどの長いあいだ続きました。その仏は、衆生《しゅじょう》に豊かな利益《りやく》をお与えになった後に、ご入滅《にゅうめつ》になりました。

正法・像法の時代も終わって、仏法《ぶっぽう》がまったく見失われようとする時代（末法《まっぽう》）がくると、また、その国に仏が出現されました。そのお名前は、また威音王如来・

応供・正偏知・明行足・善逝・世間解・無上士・調御丈夫・天人師・仏・世尊と申し上げました。このようにして、次々に二万億《おく》の仏が世にお出ましになりましたが、みな同じお名前でいらっしゃいました。

その最初の威音王如来がすでにおなくなりになり、正法が滅して、形だけの法が世に行われているころのことです。そんな時代ですから、本当の悟りを得てはいないのに、悟ったかのように思い込んでいる憍慢《きょうまん》な僧たちがはびこり、たいへん勢力をもっていました。そのころ、一人の出家の菩薩がありました。常不軽《じょうふきょう》という名をつけられていました。

得大勢よ。どういうわけで、常不軽と名づけられたかと言いますと、次のようなわけがあるのです。この比丘《びく》は、出家であれ、在家であれ、とにかく仏道《ぶつどう》を修行している人さえ見れば、その人びとをていねいに拝み、『わたしは、あなた方を敬《うやま》います。けっして軽んじたり見下げたりはしません。あなた方は、みんな菩薩の道を行じて、必ず仏になる方々であるからです』と言って賛嘆するのでした。

三二〇—一一上　この菩薩比丘は、経典《きょうてん》を読誦《どくじゅ》することもなく、ただ出家・在家の仏道修行者を見れば、それを礼拝《らいはい》するだけでした。しかも、遠くのほうにそのような人びとがいるのを見ると、わざわざ近づいていって礼拝し、『わたしは、けっしてあなた方を軽んじません。あなた方は、みんな仏になる人ですから……』と言って賛嘆するのでした。

三二〇—三二一下
ところが、おおぜいの中には、心が濁《にご》り歪《ゆが》んでいるために、そんなことを言われて腹を立てる者もありました。そして、『このばかな比丘め、お前はどこからやって来たんだ。おれたちを軽んじないなど、大きなお世話だ。おれたちが必ず仏になれるなんて、そんなでたらめな保証など聞きたくもないよ』と、口を極めて罵るのでした。

こうして、長い年月《としつき》が経つ間に罵られ通しでしたが、その菩薩比丘は、けっして怒りません。あい変わらず、人さえ見れば、『あなたは仏になるお方です』と言うのでした。その言葉の真意の分からない群衆は、すっかり腹を立て、杖《つえ》や棒でたたいたり、石や瓦《かわら》を投げつけたりするのでした。すると、その菩薩比丘は走って逃げ、遠くのほうから、なおも『わたしには、どうしてもあなた方を軽んずることができません。あなた方は、必ず仏になる人たちだからです』と、大声で唱えるのでした。

いつも変わらず『あなた方を軽んじません』と、同じことを言いますので、世間の増上慢《ぞうじょうまん》の比丘・比丘尼《びくに》・(11)優婆塞《うばそく》・優婆夷《うばい》たちが、その比丘に常不軽というあだ名をつけたわけです。

三二〇―一一下 そういうただ一つの行いを一生の間なし続けたこの菩薩比丘が、まさに寿命が尽きようとするいまわの際に、さきに威音王仏がお説きになった法華経の無限の教えを、あたかも虚空《こくう》の中からひびいてくる声を聞くように自得したのです。そして、それをすっかり心に刻みつけてしまいましたので、その功徳として、前に説いたような眼・耳・鼻・舌・身・意《こころ》の六つのはたらきが清浄となる境地を得ることができました。

このように六根が清浄となったために、その身の寿命が延び、さらに二百万億那由他歳のあいだ生き続けて、広く人びとのために法華経の教えを説きました。

三二一―三一下 そうなると、悟ってもいないのに悟っているかのような高慢な心を持っていた出家・在家の修行者たちや、この人を軽蔑《けいべつ》して常不軽というあだ名をつけた人たちも、常不軽が偉大な神通力《じんづうりき》を得、また、自らの心の楽しみとして、すすんで法を説き、あらゆる人を説得する力を得、さらに、心に善を堅持して何ものにも動かされぬ力を得たのを見て、その説くところに耳を傾ける気持になりました。そして、ひとたびその教えを聞くと、すっかりそれを信じ、傾倒し、従うようになりました。

三二一—六—上　この菩薩は、その他の多くの人びとを教化《きょうけ》して、仏の悟りに達したいという不動の願いを持たせるまでに導いたのでありました。

その寿命が終わった後、また二千億というたくさんの仏に、次々に遇《あ》いたてまつることができました。その仏は、すべて日月燈明仏《にちがつとうみょうぶつ》という名号《みょうごう》でした。その日月燈明仏という仏たちのみもとで、常不軽はまた法華経を聞き、それを人びとのために説きましたので、その功徳をもって、また次々に二千億の仏に遇いたてまつることができました。その仏たちは、すべて雲自在燈王仏《うんじざいとうおうぶつ》という名号でした。

常不軽菩薩は、またこれら二千億の雲自在燈王仏の説かれた法華経を、まごころから信じ、持《たも》ち、読み、誦《じゅ》し、そして多くの人びとのために説きましたので、その功徳によって、普通の眼でありながら非常に清浄な視覚を得、聴覚も同じように清浄となり、嗅覚《きゅうかく》も、味覚も、触覚も、そして意《こころ》のはたらきも、たいへん清らかに澄みきったものになりました。そして、多くの人びとの中で法を説くのに、少しも恐れはばかるところはありませんでした。

三二一―二―上　得大勢よ。この常不軽菩薩は、このように無数の諸仏《しょぶつ》にお仕えして、諸仏を心から敬い、尊《とうと》び崇《あが》め、賞めたたえ、しかも、もろもろの善い行いをして人格完成の根を育て、後にまた千万億の仏に遇いたてまつって、それぞれの仏から妙法蓮華《みょうほうれんげ》の教えを聞き、その教えに従って多くの人に説きました。そして、それらの功徳が円満成就《じょうじゅ》して、仏の悟りを得ることができました。

三二二―三―上　得大勢よ。どう思いますか。その長いあいだ数えきれないほどの仏にお仕えした常不軽菩薩とは、ほかのだれでもありません。このわたしこそ、その人だったのです。もし、わたしが前の世においてこの法華経の教えを受持《じゅじ》し、読誦し、他人のために説かなかったならば、まっすぐに仏の悟りに到達することはできなかったでありましょう。わたしは、前におられた数々の仏のみもとにおいてこの教えを受持し、読誦し、人のためにそれを説いたからこそ、回り道をすることなく、まっすぐに仏の悟りへ達することができたのです。

三二二―七―上　得大勢よ。その時の比丘・比丘尼・優婆塞・優婆夷は、怒りの心をもってわたしに対し、わたしを軽んじ賤《いや》しめたので、その悪念は自らに報《むく》いを与えて、二百億劫の間、仏に遇うこともなく、仏の教えを聞くこともなく、仏の教えを信ずる人たちに会う機会もありませんでした。このように、人生の苦しみから救われる機縁《きえん》に触《ふ》れることがありませんでしたから、千劫の間、阿鼻地獄《あびじごく》において大苦悩の生活を送っていたのです。そして、ようやくその宿業《しゅくごう》が尽きて罪が消えた時に、その人たちはまた、常不軽菩薩が人びとを仏の悟りへ導こうとして教化しているのに会ったのです。

得大勢よ。あなたはどう思いますか。その昔、常不軽菩薩を軽しめた四衆《ししゅ》(11)の人たちというのは、ほかでもありません。今この説法会《せっぽうえ》の中にいる跋陀婆羅《ばっだばら》ほか五百の菩薩、師子月《ししがつ》ほか五百の比丘、尼思仏《にしぶつ》ほか五百の優婆塞たちなのです。今では、仏の悟りに達しようという志《こころざし》が堅く、退転することのないりっぱな皆さんなのですが、実は、昔はその四衆の人たちだったのです。

得大勢よ、今こそしっかりと悟らなければなりません。この法華経は、もろもろの菩薩に大きな功徳を与え、仏の悟りへと導く教えであります。それゆえに、もろもろの菩薩たちよ。わたしが入滅した後は、常にこの教えを受持し、読誦し、解説《げせつ》し、書写《しょしゃ》することに励まねばならないのです」

世尊は、今お説きになった物語とその意味を、さらに偈《げ》によってお説きになりました。

過去の世に、威音王と申すみ仏がおられた。無量《むりょう》のすぐれた智慧をお持ちになり、一切の衆生を率《ひき》い導かれた。天上界《てんじょうかい》の住人も、人間界《にんげんかい》の住人も、人間以外の鬼神《きじん》たちも、共にまごころをささげてお仕えしていた。

このみ仏が入滅され、その教えも忘れられようとするころ、一人の菩薩があった。常不軽という名であった。そのころの出家・在家の修行者たちは、教えをおのれの計《はか》らいで解釈し、それにとらわれていたが、常不軽菩薩はかれらを見ると、近づいて行って言うのだった。「わたしは、あなた方を軽んじません。あなた方は、菩薩の道を行ずることによって必ず仏となる方々であるからです」と。

人びとはそれを聞いて、鼻で笑ったり、悪口を言ったり、罵ったり、あてこすりを言ったりしたが、常不軽菩薩はじっとそれを忍んでいた。

三三―一一―中
常不軽菩薩が、宿業を果たしてこの世の生を終わろうとする時、この法華経を聞くことができて、身も心も洗われたようになった。そして、神通力を得て寿命がはるかに延び、また多くの人びとに広くこの教えを説いた。

低い教えにとらわれていた多くの人びとは、皆この菩薩によって正しく教化され、人間らしくなり、そして仏の悟りを求めるようになった。

三二四—二—下 常不軽菩薩はその功徳により、次の世、またその次の世で、無数の仏に遇いたてまつることができた。それらの仏のみもとでも、この教えを人びとに説き続け、また量り知れぬほどの功徳を得、そのような循環を繰り返すうちに、次第に功徳が成就してゆき、まっすぐに仏の悟りに達することができたのである。その時の常不軽菩薩というのは、とりもなおさず、このわたしの前身にほかならない。そして、それまで小法《しょうぼう》にとらわれていた出家・在家の修行者たちは、常不軽菩薩に「あなた方は必ず仏になる人です」と言われ、その言葉によって仏性《ぶっしょう》を開発されたために、その後無数の仏に遇いたてまつることができた。今この法会《ほうえ》に集まって、わたしの話を聞いている五百の菩薩、及び出家・在家の修行者たちが、実は、その人たちだったのである。

三二四—七—下 わたしは、前世《ぜんせ》においてそれらの人びとに、最高の法であるこの法華経の教えを聞くことを勧め、仏性への眼を開かせ、この世の根本法則を示して人びとを大安心《だいあんじん》の境地に住せしめた。そして、わたし自身いくたび生まれ変わっても、常にこの教えを受持したのであった。
億億万劫《おくおくまんごう》という、とうてい考えられぬほどの年月が経ち、ようやく時が熟してこそ、初めて法華経を聞くことができるのだ。億億万劫という、推量も及ばぬほどの年月を経、しかるべき時が来てこそ、初めて諸仏世尊はこの法を説きたもうのだ。

三二四―一二―下

それゆえに、わたしが入滅した後の世の行者たちよ。この尊い教えを聞く機会があったならば、かりそめにも疑惑をいだいてはならない。必ずまごころを込めてこの経を説き広めることだ。そうすれば、その功徳によって、生まれ変わるごとに仏に遇いたてまつることができ、まっすぐに仏の悟りに赴《おもむ》くことができよう。

すべては一つ（如来神力品第二十一《にょらいじんりきほん》）

その時に、さきに地中から湧《わ》き出してきた無数の菩薩《ぼさつ》たちは、仏さまのみ前において、みな一心に合掌《がっしょう》し、尊《とうと》いお顔をまじろぎもせず仰《あお》ぎ見ながら、次のように申し上げるのでした。

「世尊《せそん》。わたくしどもは、世尊がご入滅《にゅうめつ》になりました後は、世尊の分身《ぶんしん》のいらっしゃるあらゆる国土、その分身が墳墓《ふんぼ》の地とされるあらゆる土地において、必ずこの経を説き広めましょう。なぜかと申しますと、わたくしどもも、この真実かつ清浄《しょうじょう》な大乗《だいじょう》の教えを得ました上は、それを受持《じゅじ》・読誦《どくじゅ》・解説《げせつ》・書写《しょしゃ》して、この教えのご恩にお報《むく》いいたしたいからでございます」

それをお聞きになった世尊は、文殊師利《もんじゅしり》をはじめとする、元から娑婆世界《しゃばせかい》に住んでいた菩薩たちや、もろもろの比丘《びく》・比丘尼《びくに》・優婆塞《うばそく》・優婆夷《うばい》や、天界の住人や、竜神《りゅうじん》や、さまざまな鬼神《きじん》たちや、人間や、人間以外のもろもろの生ある一切のもののの前で、素晴らしい大神力《だいじんりき》を現されました。

三二六―九―中
まず仏さまは、非常に長い、大きな舌をお出しになり、その舌は、はるか空のかなたの梵天《ぼんてん》までとどいたのであります。それは、これまでお説きになったことがすべて真実であり、究極の真理であり、しかも真理に二つはない……ということの象徴でありました。

次に、仏さまの全身から、えも言われぬ美しい、さまざまな光が出て、そのすべての光が、十方世界を普《あまね》く照らし出しました。それは、真理は光明であり、迷いの闇《やみ》をうち破るものであり、これまで説かれた無数の教えは、いろどりはさまざまでも、すべてただ一つの真理にもとづく光明の教えであった……ということを象徴するものでありました。

すると、見わたす限り立ちならぶ美しい樹々のもとの、師子座《ししざ》にお坐りになっておられる十方分身《じっぽうふんじん》の諸仏《しょぶつ》も、釈迦牟尼仏《しゃかむにぶつ》と同じように、広長舌《こうちょうぜつ》を出され、おからだから無量《むりょう》の光を放たれたのであります。そして、釈迦牟尼仏および宝樹下《ほうじゅげ》の分身の諸仏が、このような神力を現されたそのままの状態が、百千歳《ざい》も続きました。

三二七―一―下
そのような長い年月《としつき》が経ってから、ようやく広長舌の相《そう》をおさめられると、今度は釈迦牟尼仏をはじめとする諸仏が、一時に咳《せき》ばらいをされ、また指をパチンと鳴らされました。諸仏が、いっせいに咳ばらいをされたのは、すべての教えは一つに帰するということの象徴であり、いっせいに指を鳴らされたのは、「みな共にこの自他一体の教えを説き広めよう」との宣誓《せんせい》を示すものでありました。

この二つの音声《おんじょう》は、普く宇宙全体にひびきわたって、大地はどこもかしこも六種に震《ふる》え動きました。その現象は、宇宙の生きとし生けるものがみ仏たちの宣誓に感動したことを現すものであります。

この宇宙のありとあらゆる所にいる、あらゆる生あるもの、すなわち天人・竜神・もろもろの鬼神・人間・人間以外の生物たちなどは、仏さまの神力によって、この娑婆世界の霊鷲山《りょうじゅせん》の数限りない宝樹のもとの師子座に坐っておられる諸仏のおすがたや、釈迦牟尼仏が多宝如来《たほうにょらい》と一緒に宝塔の中の師子座にお坐りになっておられるのを、まざまざと拝することができました。また、数限りない菩薩たちや、出家《しゅっけ》・在家《ざいけ》の修行者《しゅぎょうしゃ》たちが、釈迦牟尼仏をぐるりと取り囲んで、敬《うやま》い崇《あが》めているありさまをも、見ることができました。そのような尊いありさまを目のあたりに見て、宇宙間のありとあらゆる生あるものは、いまだかつて経験したことのない大いなる喜びを覚えたのでありました。

三三七―九―下
ちょうどその時、天界のもろもろの善神《ぜんじん》たちが、虚空《こくう》の上から、次のように声高らかに唱えたのであります。

「この広々とした宇宙のかなたに、一つの国土があります。名前を娑婆と言います。その国に、お一人の仏さまがいらっしゃいます。お名前を釈迦牟尼と申し上げます。その釈迦牟尼仏は、今、もろもろの菩薩たちのために、妙法蓮華《みょうほうれんげ》・教菩薩法《きょうぼさつぽう》・仏所護《ぶつしょご》念《ねん》という大乗の教えをお説きになりました。一切の衆生《しゅじょう》たちよ。みんな、心の底から有難く思わなければなりません。そして、釈迦牟尼仏を礼拝《らいはい》し、供養《くよう》申し上げなければなりません」

これは、現在では世界中にいろいろな宗教・宗派が対立しているが、未来においては、一つの本義にまとまるであろう……ということを意味しています。

虚空の中からひびきわたるその諸天善神の声を聞いた、全宇宙のすべての生あるものは、いっせいに合掌して、娑婆世界に向かい、「南無釈迦牟尼仏《なむしゃかむにぶつ》」「南無釈迦牟尼仏」と唱えたのであります。

三三八―三―下
その時、いろいろな美しい花・香り高い香・りっぱな首飾《くびかざ》り・貴人にさしかける傘、その他仏さまのお側を飾るもろもろの珍しい宝や貴重な品々が、はるか虚空から、この娑婆世界へ舞い降りてきました。それらが十方世界から降ってくるありさまは、まるで雲が集まって降りてくるようでありましたが、それが地上に達する瞬間に、紗《しゃ》のように透《す》きとおった美しい帳《とばり》に変じて、諸仏のみ上を覆《おお》ったのです。それは、未来においては、あらゆる人のさまざまな行いが、すべて仏さまのみ心にかなうという点においては一様になる……ということを象徴するものであります。

三二八—六—下　そうなりますと、十方世界には区別がなくなり、どこへでも自由自在に行けるようになり、すべての人が自他一体の境地を悟《さと》り、この宇宙全体が一続きの仏土になってしまうのであります。

三二八—七—上　このような神力を目のあたりお見せになった世尊は、上行《じょうぎょう》菩薩その他の菩薩大衆《だいしゅ》に向かって、次のようにお告げになりました。

「仏に具《そな》わっている力は、いま示したように無限であって、頭ではとうてい考え及ぶことのできぬほど無辺際《むへんざい》なものです。しかし、法華経の教えの持つ功徳《くどく》はもっと無辺際のものです。後世においてこの教えを説き広めてくれるように皆さんにお願いするために、如来の神力をもって、しかも無限の時間をかけて、その功徳を説き明かそうとしても、とうてい説き尽くすことはできますまい。

三二八—一〇—上
要するに、法華経は、如来の悟った一切の法と、如来の持つ自由自在の一切のはたらきと、如来の胸に充ち満ちている一切の重要な教えと、如来の一身が経てきた一切の内的・外的な深い経験のすべてを、皆この教えの中に宣《の》べ示し、説き明かしてあるのです。

そういうわけでありますから、わたしが入滅した後は、この教えを一心に受持・読誦し、解説・書写し、この経典《きょうでん》に説かれたとおりに修行しなければなりません。また、方々の国土のうちに、もしもこの教えが受持・読誦され、解説・書写され、または教えのとおり修行され、あるいはこの教えが正しく行われている所があったならば、そこが花園《はなぞの》の中であっても、林の中であっても、樹木《じゅもく》の下であっても、あるいは僧坊《そうぼう》の中であろうと、在家信者の家であろうと、もしくは殿堂であろうと、山の谷間や広野の真ん中であろうと、その場所に塔を建て、その教えを供養しなければなりません。

なぜ塔を建てるべきかと言いますと、その場所こそ、仏が悟りを開いた場所と同じであるからです。さらに言うならば、法華経が心から受持され、修行され、生活の上に実践されている場所こそ、まさに諸仏が最高の智慧《ちえ》を悟られた場所であり、諸仏が永遠の教えを説かれる所であり、諸仏が、そこで入滅される場所であるからです」

そのとき世尊は、重ねて偈《げ》を説いて、次のようにお教えになりました。

世を救われるもろもろの仏は、偉大な神通力《じんづうりき》をもっておられるが、その無量《むりょう》の神力を、衆生に真の喜びを与えるためにこそ発揮されるのである。

はるか虚空のかなたの梵天にまでとどく広長舌を出され、また身からは無数のいろどりを持つ光を放たれた。仏道《ぶつどう》を求める人びとのために、常には見ることのできぬ不可思議な現象を現して、法悦《ほうえつ》を感ぜしめになったわけである。

三二九―一一―中 諸仏が一時に咳ばらいをなさる声や、同時に指を鳴らされる音は、普く十方世界にひびきわたり、それらの世界は、深い意義を持つその音声に感動して、さまざまに震え動いたのであった。

わたしが入滅した後の末法の世に、よくこの教えを持《たも》つ者がいることを、諸仏はよく見通しておられるので、それを非常にお喜びになって、このような無量の神力を発揮してお見せになるのである。

この教えを後の世に説き広める苦労を、わたしもみんなに頼みたい。もし末法の世にこの教えを受持する人があれば、無量劫《こう》の間いかにその人を賞めたたえても、賞め尽くすことはできない。その人の功徳はまことに、無量であって、十方の虚空に果てがないのと同様、その功徳にも窮《きわ》まりはないであろう。

三三〇―四―中 よくこの教えを心に持《たも》つ者は、とりもなおさず、わたしと心が通い合っている者である。また多宝如来とも、わたしの分身の諸仏とも、心が通じ合っている者である。今わたしが教化《きょうけ》している多くの菩薩たちとも、共にいるという自覚を持つ者である。

よくこの教えを持《たも》つ者は、わたしや分身の諸仏はむろんのこと、久しい以前に滅度《めつど》された多宝仏に至るまで、一切の仏の心を喜ばせてさし上げる者である。現在・過去・未来を通じ、十方世界のありとあらゆる仏と気持が通い、それらの仏を供養し、その心を喜ばせてさし上げる者である。

三三〇―八―下 もろもろの仏が、悟りを求める場に坐して禅定《ぜんじょう》に入り、そうして悟得《ごとく》された深い法を、この教えをよく持《たも》つ者は、さほどの年月をかけずして得ることもできよう。

よく、この教えを持《たも》つ者は、さまざまな教えの主旨も、語句の意味もよく分かり、人に向かって説く時は、あたかも風が空中を吹きわたる時、何ものもそれをさえぎることがないように、快《こころよ》く、自由自在に、そして無限に説くことができよう。

三三〇—二—下 そのような人たちは、わたしが入滅した後の世において、わたしが説いた教えが、どういう因縁《いんねん》で、どういう順序で説かれたかをよく知り、わたしの説いたとおりの意味に従って、その真義《しんぎ》を説くであろう。

三三一—一—上 日月の光明がすべての暗黒《あんこく》を消滅させるように、その人は、広く世間にこの教えを説き広めることによって、よく多くの人びとの迷いの暗《やみ》を消滅させ、無数の菩薩たちを必ず一仏乗《いちぶつじょう》の道に入らせるであろう。

そういうわけであるから、本当に人生というものを深く考える者が、この教えの功徳の特にすぐれていることを聞いたならば、わたしの滅後において、この教えを受持するのは必然のことであろう。そして、その人の心には仏の悟りを求める決意がしかと定まり、もはや動揺《どうよう》したり、疑惑《ぎわく》を生じたりすることはないであろう。

み仏の尊い委託（嘱累品《ぞくるいほん》第二十二）

その時、釈迦牟尼仏《しやかむにぶつ》は、やおら説法《せつぽう》の座からお立ちになり、大神力《だいじんりき》を現されました。すなわち、右のみ手をもって、その場にいならぶ無数の菩薩《ぼさつ》の頭を普《あまね》くおなでになり、次のようにおおせられたのです。

「わたしは、無量百千万億阿僧祇劫《むりようまんのくあそうぎこう》という長い間、非常な苦労を重ねて、なかなか得難い仏の悟《さと》りを得ることができました。その尊い悟りを後世に伝えるという一大事を、今あなた方に託《たく》したいのです。あなた方は、どうか一心にこの法を説き広めて、広くあらゆる衆生《しゆじよう》の利益《りやく》を増進させてください」と。

世尊《せそん》は、同じように三たびもろもろの菩薩たちの頭をおなでになって、三たび同じ意味のことをおおせられました。

「わたしは、量ることのできない長い年月《としつき》かかって、この得難い仏の悟りを得ましたが、今その法のすべてを皆さんにお任《まか》せしたいと思います。皆さんはまさにこの法を信じ、持《たも》ち、読誦《どくじゅ》し、広くこの教えを宣《の》べ伝えて、普く一切衆生《いっさいしゅじょう》に知らしめるよう、努力してください。

三三二―九―中 なぜ、すべてをあげてみんなに任せるのかと言えば、如来《にょらい》はただただ大いなる慈《じ》悲《ひ》の心を持っているのみであって、何ごとについても惜《お》しむ心は少しもなく、また、何ものをもはばかるところもなく、よく衆生に真実の智慧《ちえ》と、慈悲の智慧と、信仰の智慧とを授《さず》けるものであります。

三三二―一一―上 わたしは、一切衆生に対する最大の布施者《ふせしゃ》であります。皆さんは、よくわたしの心に従い、わたしのなしてきたことに習わなければなりません。けっして法惜《ほうお》しみなどしてはならないのです。もし未来世《みらいせ》において、わたしの慈悲の智慧を信じようとする心の素直な男女があったならば、その人びとのために、この法華経《ほけきょう》の教えをよく説き聞かせてあげなさい。それは、ほかの何のためでもない、ただその人に仏と同じような智慧を得させるためであります。

もしこの法華経の教えをすぐに信受《しんじゅ》しきれない者があったならば、わたしの説いた、ほかの深い教えの中から、その人の機根《きこん》に適したものを選んで、徐々にこの教えに導くようにしなさい。あなた方が、そのようにして、よく人を正法《しょうぼう》に導くことができれば、それがとりもなおさず、諸仏《しょぶつ》の恩に報《むく》いることになるのであります」

世尊がこうお説きになりますと、うかがっていたもろもろの菩薩たちは、全身に満ちわたるような大きな喜びを覚えると同時に、世尊を敬《うやま》い尊ぶ思いがいやましに深まるのでありました。そして、からだを深く曲げ、頭を低く垂《た》れて合掌《がっしょう》しながら、声を合わせて、申し上げるのでした。

「世尊のお言いつけのとおり、すべてをまちがいなく実践いたします。世尊、どうぞお願いでございますから、ご心配くださいませぬように……」と。

もろもろの菩薩たちは、同じことを三べん繰り返して、異口同音《いくどうおん》に申し上げました。

「世尊のお言いつけどおり、すべてをまちがいなく実践いたします。世尊、どうぞお願いでございますから、ご心配などなさいませぬように……」

三三三―二―中
そのとき釈迦牟尼仏は、十方から来集《らいしゅう》しておられた分身《ふんじん》の諸仏に、その本土へ帰られるようにと、次のようにおおせになりました。

「皆さん。どうぞ、本来のご自分のお国へ落ち着きになってください。多宝仏《たほうぶつ》の塔も、元どおりになられますように……」と。

お釈迦さまがこうして説法を終えられますと、十方世界からこの娑婆世界《しゃばせかい》に来られ、霊鷲山《りょうじゅせん》の宝樹《ほうじゅ》の下の師子座《ししざ》に坐しておられた数知れぬ分身の諸仏も、そして多宝如来《たほうにょらい》も、また上行《じょうぎょう》菩薩をはじめとする無数の菩薩も、舎利弗《しゃりほつ》をはじめとする出家《しゅっけ》修行者《しゅぎょうしゃ》たちも、それから一切世間の天人・人間・鬼神《きじん》たちも、みな仏さまのお説きになったことがはっきり会得《えとく》できましたので、この上もない喜びを覚えたのでありました。

身の布施の尊さ（薬王菩薩本事品《やくおうぼさつほんじほん》第二十三）

その時、宿王華菩薩《しゅくおうけぼさつ》が、世尊《せそん》におたずねしました。

「世尊。薬王菩薩《やくおうぼさつ》というお方は、娑婆世界《しゃばせかい》で自由自在に衆生済度《しゅじょうさいど》のはたらきをなさっておられますが、どうしてあのような素晴らしいはたらきがおできになるのでしょうか。さだめし、あまたの難行《なんぎょう》・苦行《くぎょう》を積んでこられたためであろうと推察いたします。世尊、どうぞ、そのことについて少しお教えくださいませんでしょうか。それをうかがいましたら、天界の住人たちも、竜神《りゅうじん》も、いろいろな鬼神《きじん》たちも、人間も、人間以外の生きものたちも、また、他の国土から来ましたもろもろの菩薩も、この娑婆世界の出家修行者《しゅっけしゅぎょうしゃ》たちも、みんなきっと歓喜《かんき》することでございましょう」

その問《とい》に対して、世尊は次のようなお話をなさいました。

「遠い遠い昔、日月浄明徳如来《にちがつじょうみょうとくにょらい》・応供《おうぐ》・正偏知《しょうへんち》・明行足《みょうぎょうそく》・善逝《ぜんぜい》・世間解《せけんげ》・無上士《むじょうじ》・

調御丈夫《じょうごじょうぶ》・天人師《てんにんし》・仏《ぶつ》・世尊と申す仏がおられました。その仏のお弟子には、非常にたくさんの菩薩や大声聞衆《だいしょうもんしゅ》がおり、仏の寿命は四万二千劫《こう》、菩薩の寿命もそれと同じでした。

その国には、女人《にょにん》もいなければ、怒《いか》り・貪欲《とんよく》・愚痴《ぐち》・闘争などの不幸な状態もなく、また、いろいろな苦難というものもありませんでした。土地の平らなことは掌《てのひら》のようで、しかもそれはすべて瑠璃《るり》でできていました。美しい樹々が国土を飾り、宝の帳《とばり》がその上を覆《おお》い、空からはりっぱな旗《はた》が垂《た》れさがり、宝玉《ほうぎょく》でつくられた瓶《かめ》や香炉《こうろ》が見わたす限り国土に満ちていました。

その美しい樹々の一本ごとに、そこからやや離れた所に、七宝《しっぽう》づくりの台が一つずつ設けてありました。そして、樹々の下には菩薩や声聞たちが坐っていました。また、それぞれの台の上には、たくさんの天人がいて、天の音楽を奏《そう》し、仏さまを賛嘆する歌を歌って、供養《くよう》申し上げているのでした。

三三六―五―上　その時、日月浄明徳如来は、一切衆生憙見《いっさいしゅじょうきけん》菩薩をはじめとする、もろもろの菩薩や声聞たちのために、法華経《ほけきょう》の教えをお説きになりました。それをつぶさにうかがった一切衆生憙見菩薩は、自ら進んで苦行を習い、日月浄明徳仏の教えを研鑽《けんさん》・思《し》索《さく》する経行《きょうぎょう》に精進《しょうじん》し、仏の悟《さと》りを求めて一万二千年のあいだ一心に修行した結果、導く相手に応じてそれにふさわしいすがたを現じ、ふさわしい教えを説く自由自在な力が身に具《そな》わった、高い境地（現一切色身三昧《げんいっさいしきしんざんまい》）に達したのでありました。

一切衆生憙見菩薩は、この境地に達しえて大いに歓喜し、――これもすべては法華経の教えを聞いたおかげである。自分はこれから日月浄明徳如来と法華経を供養しよう――と決意しました。

そう決意した一切衆生憙見菩薩が即座に供養の三昧《さんまい》に入りますと、たちまち虚空《こくう》の上から、曼陀羅華《まんだらけ》や摩訶曼陀羅華《まかまんだらけ》などの天上の花々や、堅く黒く細かな粉末の栴《せん》檀香《だんこう》などが、空いっぱいに広がる雲のように舞い降りてきました。また、ほんの一握りの価《あたい》が娑婆世界全体に匹敵《ひってき》するような海此岸栴檀《かいしがんせんだん》の香も降ってきて、仏さまに帰依《きえ》と感謝のまごころをささげたのです。

三三七―一―下

この供養を終わって三昧境から立ち上がった一切衆生憙見菩薩は、あらためてつくづく考えました。――三昧境に発現するこのような神通力《じんづうりき》をもって仏さまを供養するよりも、自分の身をもって供養するほうが大切なのではなかろうか――と。

どうしてもそうでなくてはならぬと考えた一切衆生憙見菩薩は、もろもろのいい香りのする香、すなわち栴檀・薫陸《くんろく》・兜楼婆《とろば》・畢力迦《ひつりきか》・沈水《じんすい》・膠香《きょうこう》などを服用し、瞻蔔《せんぼく》その他の香油をも飲むこと、千二百年の長きにわたりました。その上で、香油を身に塗《ぬ》り、天人の宝の衣を身にまとい、それにもろもろの香油をそそぎ、日月浄明徳仏のみ前に出て、自分の身に火をつけました。それは、仏恩《ぶっおん》にお報《むく》いする大きな力を得て一切衆生を救いたいという願いのためでありました。そうすると、一切衆生憙見菩薩の身の燃える光は、八十億恒河沙《おくごうがしゃ》の広い世界に及び、普《あまね》く闇《やみ》を照らし出したのです。

三三七―七―上　その光明に照らし出された世界にまします諸仏《しょぶつ》は、口を揃えて次のようにお賞めになりました。『実にりっぱである。これこそ、本当の精進である。この行いこそ、本当の方法で如来を供養するのだということができる。たとえ美しい花とか、香木とか、首飾《くびかざ》りとか、焼《た》く香・ふりかける香・身に塗る香とか、りっぱな絹の天蓋《てんがい》や旗のぼりとか、最高の栴檀香のような貴重な品々をささげて供養しても、衆生の教化《きょうけ》・救済のために身の布施《ふせ》をするということの供養には及びもつかない。たとえ国の城までも仏にささげ、あるいは妻子までもさし上げて仕えさせたとしても、これに及ぶものではない。

善男子《ぜんなんし》よ。これを第一の布施という。もろもろの布施の中で最も尊《とうと》く、最も価値のあるものである。なぜならば、それは、教えをもって仏を供養するものだからである』と。こう口々に賞められた諸仏は、その後はただ黙然《もくねん》として、一切衆生憙見菩薩の身の燃えるのを見つめておいでになりました。一切衆生憙見菩薩の身は千二百年のあいだ燃え続け、ようやく燃え尽きたのであります。

一切衆生憙見菩薩は、このように教えに対する供養をなし終わって、その世の寿命を終えたのですが、その後ふたたび日月浄明徳仏の国土に生まれました。すなわち、国の王である浄徳王《じょうとくおう》の王子として生まれ変わったのですが、誕生《たんじょう》の時も結跏趺《けっかふ》坐《ざ》したまま生まれ、しかも、この世に出るやいなや、即座に父のために次の偈《げ》を説いたのであります。

大王よ。わたくしは、あの日月浄明徳仏のみもとで修行し、即時に高い三昧の境地を得ましたが、その後も大精進いたしまして、愛する自分の身をも捨ててしまったのです。

この偈を説き終わると、さらに言葉を続けて、父上に申し上げました。

『日月浄明徳仏は、今もなお現《げん》においでになります。わたくしは、さきに仏恩にお報いする行をいたしました結果、一切衆生の言葉を聞いてその心の奥を見抜き、それに適切な教えを説く能力を得ましたが、次にまたこの法華経の無数の教えを聞くことができました。重ねがさね、有難い極みです。それでわたくしは、もう一度仏さまのみもとへ帰って、ご恩にお報いいたしたいと思います』と。

こう言った王子は、七宝の台に坐ったかと思うと、たちまちはるか虚空へ上《のぼ》ってゆき、仏のみもとに至り、み足に頭をつけて礼拝《らいはい》し、十の指を合わせて合掌《がっしょう》しながら、偈をもって仏の徳《とく》を賞めたたえました。

仏さまのお顔は、妙《たえ》なる美しさと、尊さに輝き、身の光明《こうみょう》は十方をお照らしになっておられます。わたくしは、昔も仏さまを供養申し上げましたが、ふたたびおそば近くにうかがうことができました。

このように偈をもって賛嘆してから、一切衆生憙見菩薩は言葉をあらためて、日月浄明徳仏に申し上げました。『世尊。ああ、世尊はまだこの世にいらっしゃいました。お懐かしゅう存じます』

三三九—五—上

その時、日月浄明徳仏は一切衆生憙見菩薩にお告げになりました。『善男子よ。よく来てくれました。実は、わたくしはちょうど入滅《にゅうめつ》すべき時がきているのです。この世の寿命が滅し尽きる時期がきているのです。わたしの最期《さいご》の床を安らかにしつらえてください。今夜必ず涅槃《ねはん》に入りますから……』と。

そして、頼もしげに菩薩をごらんになりながら、『善男子よ。これからのち仏法《ぶっぽう》を広めることを、あなたに託したい。よろしく頼みますよ。また、もろもろの菩薩や大弟子《だいでし》も、仏の智慧《ちえ》を求める教えも、三千大千世界の美しい国土も、そなたに任《まか》せます。さらに、もろもろの宝樹《ほうじゅ》の下にある尊い道場も、仏法に仕える諸天善神《しょてんぜんじん》も、それらの管理をすべて頼みます。わたしが入滅した後の遺骨の処理も、あなたに任せます。広く世間に分けて、世の人びとが供養するようにし、塔もたくさん建てなさい』とおおせられました。

日月浄明徳仏は、一切衆生憙見菩薩にこのようにおおせつけられた後、その夜半過ぎに入滅されました。

三三九―一二―下
一切衆生憙見菩薩は、仏の滅度《めつど》されたのを見て、深い悲しみにうち沈み、泣き悶《もだ》えました。仏を恋慕《れんぼ》申し上げる心はつのるばかりでありました。菩薩は、須弥山《しゅみせん》のふもとの海岸にある、最も香り高い栴檀の木を積み重ねて薪《たきぎ》とし、つつしんで仏身《ぶっしん》を火葬《かそう》にいたしました。火が消えた後、菩薩は八万四千のりっぱな瓶をつくって仏《ぶつ》舎利《しゃり》を納め、八万四千のりっぱな塔を建てて、それをおまつりしました。その塔は三界《さんがい》よりも高くそびえ、頂上の尖柱《せんちゅう》は美しく輝き、軒《のき》からはもろもろの天蓋や旗のぼりを垂れ、また多くの宝の鈴がかけられていました。

そのとき一切衆生憙見菩薩は、心に深く思いました。――これほどの供養を行っても、わたしの心はどうしてもまだもの足りない。もっともっと深く仏舎利を供養申し上げよう――と。

そこで、もろもろの菩薩や、大弟子たちや、天界の神々や、竜神・鬼神たちを含む一切の大衆に向かって、告げるのでした。『皆さん。一心に念じてください。わたしはこれから、日月浄明徳仏の舎利を供養申し上げたいと思います』

三四〇―八―中 こう告げ終わるやいなや、一切衆生憙見菩薩は、八万四千の塔の前で、偉大な福徳に美しく輝く自分の腕に火をつけました。その火は、仏の遺徳《いとく》に感謝するまごころを光明として現しながら、七万二千年間も燃え続けました。仏の教えを学んで煩《ぼん》悩《のう》を除きたいと願う無数の修行者たちは、その光明に心の闇を照らし出されて、まことの悟りを得ようという志《こころざし》を起こし、また無数の菩薩たちは、導く相手に応じて自由自在の相《すがた》をとることのできる力を身につけることができました。

三四〇―一一―下

ところが、もろもろの菩薩・諸天・人間その他いのちあるものすべては、一切衆生憙見菩薩の腕が焼けてなくなったのを見て、たいへん心配し、悲しみました。そして、――一切衆生憙見菩薩はわれらが師である。われらを教化してくださる大切なお方である。それなのに、いま両の腕を焼き尽くしてしまわれた。いったい、どうしたらいいのだろう――と言って嘆きました。

それを見た一切衆生憙見菩薩は、みんなを慰《なぐさ》め、次のような誓言をしました。

『皆さん。わたしは両の腕は捨てたけれども、その代わりに金色《こんじき》の、仏の身を得ることができたと信じています。もし、それが真実であるならば、このなくなった二つの腕が、必ず元どおりになるに違いありません』と。

そう言ったかと思うと、たちまち両の腕は元どおりになってしまいました。

この菩薩の積んだ功徳《くどく》や、得た智慧が、まことに純粋で奥深いものでありましたので、そのような奇跡《きせき》が起こったのです。それに感激して、三千大千世界はさまざまに揺れ動き、天からは美しい花々が雨のように降り、一切の天人も、人間も、かつて経験したことのない大いなる喜びを覚えたのであります」

この話を終えられた釈迦《しやか》牟尼《むに》如来《にょらい》は、あらたまった口調《くちよう》で、宿王華菩薩に向かっておおせられたのでした。

「あなたは、どう思いますか。この一切衆生憙見菩薩は、ほかのだれでもありません。今の薬王菩薩の前身なのです。薬王菩薩は、かつてこのように、自分の身を捨てて無量《むりょう》の布施を行ったのであります。

三四一―九―下 宿王華よ。もし発心《ほっしん》して仏の智慧を得たいと望むものは、自分の手の指一本・足の指一本でもいいから、それを灯明としてともし、仏塔《ぶっとう》に供養することです。それは、国の城や、自分の妻子や、三千大千世界のすべての山や、林や、河や池や、また、もろもろの貴重な宝をささげて供養するよりも、はるかにまさった供養でありましょう。

また、もしある人が、三千大千世界に充ち満ちるほどの金《きん》・銀《ぎん》・瑠璃・硨磲《しゃこ》・碼《め》碯《のう》・真珠《しんじゅ》・玫瑰《まいえ》などの宝物をささげて、仏および大菩薩をはじめ縁覚《えんがく》・声聞などすべての仏弟子を供養したとしましょう。それによって得る功徳でさえも、法華経の短い一偈でもそれを信じ、しっかりと心に持《たも》つ功徳の素晴らしさには、とうてい及びもつかないでしょう」

三四二―三―上 お釈迦さまは、お言葉を続けられます。

「宿王華よ。なぜそうであるかと言えば、たとえば、小川から大河まで、およそ水と名のつくものの中で、何と言っても海が最大であるように、如来の多くの教えの中で、法華経がいちばん深く、いちばん偉大な教えであるからです。

また、土山《どせん》・黒山《こくせん》・小鉄囲山《しょうてつちせん》・大鉄囲山から十宝山《じっぽうせん》まで、山と名のつくものはたくさんありますが、その中で須弥山が第一であるのと同じように、この法華経はすべての教えのうち最高であり、かつ中心となるものであります。

夜空の多くの星の中で月が最も明るいように、この法華経も、数知れぬ教えの中で最も明るく世を照らすものであります。

また、太陽の光の射《さ》す所、すべての暗黒《あんこく》はたちまち消滅《しょうめつ》するように、この教えも一切の不善の闇を照破《しょうは》するものであります。

もろもろの王の中で転輪聖王《てんりんじょうおう》が最もすぐれているように、この教えはすべての教えの中で最も尊いものであります。

帝釈天《たいしゃくてん》が、三十三天の中の王であるように、この教えも数ある諸経の中の王であります。

大梵天王《だいぼんでんのう》は、一切衆生の父であると言い伝えられていますが、この教えも、一切の賢者・聖者・あらゆる段階の修行者・菩薩たちが仏の境地に達したいという心を発《おこ》した時、その人びとの父として、それらを教え導くものであります。

また、仏の教えを学んで、程度の差こそあれ、心の迷いを除きえた人びとや、自らの修行によって解脱《げだつ》を得た人びとは、一切の凡夫《ぼんぷ》よりも抜きんでた存在でありますが、この教えもそれに似たものであります。すなわち、如来の説いた一切の教えや、菩薩の説いた教えや、声聞の説いた教えなど、すべての教えの中で最も抜きんでた、第一のものであります。したがって、この教えをよく信じ、しっかり心に持ち続ける者も、同じように、一切衆生の中で第一の存在なのであります。

また、声聞・縁覚その他一切の仏弟子《ぶつでし》の中で、菩薩が第一の境地にあると同じように、この経はあらゆる経法《きょうぼう》の中で第一のものであります。

最終的に言えば、仏がすべての教えの王であるように、この経もすべての経の中の王なのであります」

ここでお釈迦さまは、言葉をあらためておおせになりました。

「宿王華よ。この教えは、よく一切衆生を救うものであります。すなわち、一切衆生をもろもろの苦悩から離れさせ、また一切衆生に豊かな利益《りやく》を与え、その願いを充足させるものであります。

三四三―二―下

清らかな水をたたえた池の所へ来れば、のどの渇《かわ》いた人すべてが、その水を飲んで満足するように、また寒さに震《ふる》えていた人が暖かい火を得て生き返った気持になるように、裸《はだか》の人が着物を得たように、他国へ旅する隊商がよい案内人を得たように、子どもが母に会ったように、渡し場で船を見つけたように、病気のとき医師に来てもらったように、真っ暗な夜に灯火《ともしび》を得たように、貧しいものが宝を得たように、人民がいい統治者《とうちしゃ》を得たように、貿易者が平穏《へいおん》な海路を見つけたように、炬火《たいまつ》の火が闇を照らし出すように、この法華経もちょうどそのような力を持つものであります。法華経は、衆生の一切の悩みや病苦を除き、生死《しょうじ》という輪廻《りんね》の束縛から、人間を解き放つものであります。

もしある人がこの法華経を聞くことができて、自分も書写《しょしゃ》し、人にも書写させたとしましょう。その人の功徳は、仏の智慧をもってしても量り知れないほどです。また、もしこの経巻《きょうがん》を書写して、それに花や、香や、首飾りや、焼香や、抹香《まっこう》や、塗香《ずこう》や、衣服や、乳脂の灯明や、植物油の灯明や、また瞻蔔油・須曼那油《しゅまなゆ》・波《は》羅羅油《ららゆ》・婆利師迦油《ばりしかゆ》・那婆摩利油《なばまりゆ》というような花の香油の灯明などをささげて供養したならば、そのために受ける功徳も量り知れぬものがありましょう。

三四四―一〇―下 宿王華よ。もしある人がこの薬王菩薩本事品《やくおうぼさつほんじほん》を聞くことができたならば、聞いただけでも、量り知れない大功徳を得るでありましょう。もし、女の人がこの薬王菩薩本事品を聞いて、心から信じ、しっかりと心に持《たも》ち続けるならば、これまでいだいていた女としての煩悩はまったくぬぐい去られ、ふたたびそのために悩むようなことはありますまい。

もし如来が入滅した後の、第五の五百歳の中の世で、もし女人があってこの教えを聞き、説かれたとおり忠実に修行するならば、その世の生を終わってから、阿弥陀《あみだ》如来が多くの大菩薩衆に取り巻かれておられる極楽世界《ごくらくせかい》へ行き、蓮華《れんげ》の宝座《ほうざ》の上に生まれ変わるでありましょう。

この経典《きょうでん》を受持《じゅじ》するものは、貪欲に悩まされることはないでしょう。また、怒りや愚《おろ》かさのゆえに苦しむこともありますまい。また、おごり高ぶる心や、妬《ねた》み恨《うら》む心など、さまざまな迷いに身を苦しめることもないでしょう。

三四五―五―上 またその人は、菩薩たるにふさわしい神通力を身につけ、空《くう》の教えを体得して、現象世界の変化に動揺しない境地に達しましょう。その境地に達することによって、非常に澄みきった眼《まなこ》を持つことができ、その眼で無数の諸仏如来を見たてまつることができましょう。

そのような人に対しては、あらゆる国土にましますもろもろの仏が、口を揃えてお賞めになるでしょう。『よろしい、よろしい。善男子よ、そなたは釈迦牟尼仏の教えに従って妙法蓮華経《みょうほうれんげきょう》をよく信じ、心に持《たも》ち、読誦《どくじゅ》し、思索し、そして他人のために説きました。そなたの得る福徳は無量無辺《むりょうむへん》でありましょう。その功徳は確固たるものであって、火もそれを焼くことはできず、水もそれを流すことはできますまい。そなたのなした功徳は、千の仏が共にお説きになっても説き尽くされぬほど偉大なものでありましょう。そなたは、すでによくもろもろの魔賊《まぞく》をうち破り、現象の変化にもとづく苦悩という難敵を克服し、そのほかの心の敵もすべてうち砕《くだ》いてしまいました。善男子よ。百千の諸仏は、神通力をもってそなたを守護されているのです。世間の一切の天人・人間の中で、そなたに及ぶものはありますまい。如来を除けば、いかなる声聞も、縁覚も、菩薩も、その智慧・禅定《ぜんじょう》の深さにおいてそなたに等しいものはないでしょう』と。三四六―二―下

宿王華よ。この菩薩は、このような功徳と智慧の力を成就《じょうじゅ》したわけであります。

ですから、もしある人がこの薬王菩薩本事品の教えを聞いて、心から有難いと思い、ああいい教えだと賛嘆したならば、その人は現実に、よい言葉で周囲の人びとを感化し、また、高い徳をもっておのずから人びとを善《ぜん》へと導くでありましょう。その人の得る功徳は、このように素晴らしいものであります。

こういうわけですから、宿王華よ。この薬王菩薩本事品の今後のことを、あなたにすべて委任します。どうか、後の五百歳に、広くこの世に説き広めてください。この教えが世に断絶するようなことがあれば、魔や、魔の手下どもや、天人や、竜神や、鬼神や、悪鬼《あっき》たちが人間にとり憑《つ》いて、勢いを得るようになりますから、そんなことがないように頼みたいのです。

宿王華よ。あなたは、あらゆる力を尽くしてこの教えを守護しなければなりません。なぜならば、この教えは、世界人類の心の病《やまい》の良薬であるからです。もし心の病を持つ人がこの教えを聞くことができたならば、その病はたちまち消滅して、老死の苦から解脱《げだつ》することができましょう。

三四六―二―上 宿王華よ。もしこの教えを受持するものを見たならば、青蓮華《しょうれんげ》の花に抹香を盛り、その人の上にふりかけて、供養しなさい。そして、次のように念じなければなりません。『この人は、長い年月《としつき》を待たずに、吉祥草《きちじょうそう》を敷いて悟りの座に坐し、もろもろの魔軍を退《しりぞ》け、仏の智慧に達するであろう。そして、ほら貝を吹き鳴らし、鼓《つづみ》をうち鳴らすように、遠くの地まで法を説き広め、一切衆生をしてあらゆる人生苦から解脱せしめるであろう』と。

　そういうわけで、仏の智慧を求める人は、もしこの教えを受持する人を見たならば、今のべたような尊敬の心を起こさなければなりません」

　このように薬王菩薩本事品をお説きになりますと、聴聞《ちょうもん》していた無数の菩薩たちは、一切衆生の言葉を聞いてその本心を見抜き、それに適切な教えを説く力を、しっかりと身につけることができました。

　その時、多《た》宝如来《ほうにょらい》は宝塔の中から、宿王華菩薩に対して次のような賞め言葉をたまわりました。

「よろしい。よろしい。宿王華よ、そなたはよくぞ釈迦牟尼仏にこのような大事を質問してくれました。そなたは、考え及ぶことのできないほど大きな功徳を成就したことになるのです。すなわち、その質問をしたことによって、間接的に無数の衆生を利益したわけであります」

理想世界と現実世界（妙音菩薩品第二十四《みょうおんぼさつぼん》）

お釈迦《しゃか》さまが薬王菩薩《やくおうぼさつ》の過去世《かこせ》についての説法《せっぽう》を終えられますと、大偉人《だいいじん》の相《そう》である盛り上がった頭頂《ずちょう》から、とつぜん光明《こうみょう》を放たれ、また額《ひたい》の白い渦毛《うずげ》からも光を放たれて、東方にある無数の諸仏《しょぶつ》の国土を照らし出されました。

東方の数々の世界を通り過ぎたかなたに、浄光荘厳《じょうこうしょうごん》という世界があります。その国にお一人の仏がおられ、浄華宿王智如来《じょうけしゅくおうちにょらい》・応供《おうぐ》・正偏知《しょうへんち》・明行足《みょうぎょうそく》・善逝《ぜんぜい》・世間解《せけんげ》・無上士《むじょうじ》・調御丈夫《じょうごじょうぶ》・天人師《てんにんし》・仏《ぶつ》・世尊《せそん》と申し上げます。無数の菩薩たちがうやうやしく取り巻いている中で、その菩薩たちのために教えを説いておられました。釈《しゃ》迦牟尼仏《かむにぶつ》の白毫《びゃくごう》から出た光明は、その国をすみずみまではっきりと照らし出しました。

その一切浄光荘厳国《いっさいじょうこうしょうごんこく》に一人の菩薩がありました。名を妙音《みょうおん》と言いました。長いあいだ善行をなし続け、無数の仏さまに親しくお仕えして供養《くよう》申し上げ、非常に深い智慧《ちえ》を完成し、数々の深い三昧《さんまい》の境地を身につけておりました。

三四九―二―下 釈迦牟尼仏の放たれた光は、その妙音菩薩《みょうおんぼさつ》の身をも照らし出しました。すると妙音菩薩は、すぐさま浄華宿王智仏に申し上げました。

「世尊。わたくしはこれから娑婆世界《しゃばせかい》にまいり、釈迦牟尼仏を礼拝《らいはい》し、お側にまいって供養申し上げたいと存じます。また、文殊師利《もんじゅしり》法王子《ほうおうじ》菩薩・薬王菩薩・勇施《ゆうぜ》菩薩・宿王華菩薩・上行意《じょうぎょうい》菩薩・荘厳王《しょうごんのう》菩薩・薬上《やくじょう》菩薩などの菩薩方にもお目にかかりたいと存じます」

それをお聞きになった浄華宿王智仏は、妙音菩薩にお告げになりました。

三四九―六―下 「それはよいことを考えつきました。行っておいでなさい。しかし、注意しておくことがあります。それは、娑婆世界に行っても、その国を軽蔑《けいべつ》したり、下劣《げれつ》な所だと考えてはならないことです。善男子《ぜんなんし》よ。あの娑婆世界という所は、現実の世界ですから土地にたいへんな高低があって、平坦《へいたん》でありません。地は土《つち》ででき、石がごろごろしており、山々がつらなり、汚いものが充満しています。そして、その国の仏は、おからだが小さく、もろもろの菩薩衆もまたそうです。

それに対して、この浄光荘厳は理想世界でありますから、そなたの身は四万二千由旬《ゆじゅん》もあり、わたしの身になると六百八十万由旬もあります。そなたの身はたいへん整《ととの》っていて美しく、無量《むりょう》の福徳を具《そな》え、特に素晴らしい光明を発しています。そこで、そなたが向こうの国へ行けば、あの国を軽んずるような気持が起こったり、あの国の仏・菩薩や国土に対して、見下げるような思いを生ずる恐れがありますが、それはたいへんな考え違いですから、気をつけることです」

妙音菩薩は、仏さまにお答え申し上げました。

「はい、おおせのとおりにいたします。わたくしが娑婆世界にまいることができますのも、みんな如来のお力であり、どこへでも自由自在に行ける如来の神通力《じんづうりき》のおかげであり、如来の偉大なる功徳《くどく》・至高《しこう》の智慧・この上もない尊《とうと》さのたまものでございますから、すべてはみ心のままでございます」

そこで、妙音菩薩は、そのまま身を動かさず禅定《ぜんじょう》に入り、精神統一の力によって娑婆世界の霊鷲山《りょうじゅせん》の法座《ほうざ》からほど遠からぬその周囲に、八万四千の美しい蓮の花を忽然《こつぜん》として浮かび上がらせました。その蓮華《れんげ》は、金の茎《くき》・銀の葉・ダイヤモンドの蘂《しべ》・ルビーのような赤い花びらを持っていました。

そのありさまを霊鷲山から仰《あお》ぎ見た文殊菩薩は、不思議の感にうたれ、お釈迦さまにおたずね申し上げました。

「世尊。どういうわけで、このような奇瑞《きずい》が、にわかに起こったのでしょうか。金の茎と、銀の葉と、ダイヤモンドの蘂と、ルビーのような花びらを持った何千万とも知れぬ蓮の花が、忽然と浮かび出してまいりました。これには、どんなわけがあるのでございましょうか」

釈迦牟尼仏は、文殊菩薩にお答えになりました。

「これは、はるか東方の浄華宿王智仏の国から、妙音という大菩薩が、無数の菩薩に取り囲まれてこの娑婆世界にまいり、わたしのそば近くに来て供養し、礼拝し、また法華経《ほけきよう》の教えを供養・聴聞《ちようもん》しようと思って、このような瑞相《ずいそう》を現したのです」

三五〇―一一―上
文殊菩薩は、さらにおたずねいたします。

「世尊。この菩薩は、どういう善行《ぜんこう》をなさり、どういう功徳を積まれて、このような大神通力を得られたのでしょうか。また、どのような三昧を修行《しゆぎよう》されたのでしょうか。どうぞ、わたくしたちのために、その三昧の名をお教えくださいませ。わたくしどもも、その三昧をけんめいに行じてみたいと存じます。そしてまた、その菩薩の人物の大きさや、その風貌《ふうぼう》や動作に現れた徳《とく》の高さなどを、つぶさに見たいと存じます。どうか世尊、その菩薩がまいりましたら、世尊の神通力をもって、わたくしどもも、その菩薩の身を見ることができるように、お導きくださいませ」

それを聞かれた釈迦牟尼仏は、文殊師利にお答えになりました。

「久しい前に滅度《めつど》なさった多宝如来《たほうにょらい》が、あなた方のために、妙音菩薩のすがたを現出させてくださることでしょう」

その時、多宝仏は、妙音菩薩に向かって、「善男子よ。こちらへおいでなさい。文殊菩薩がそなたに会いたがっていますぞ」とお呼びになりました。そのお声に応じて妙音菩薩は、浄光荘厳の国からすがたを消し、八万四千の菩薩をつれて娑婆世界へやって来ました。途中に通過した国々は、すべて国土が感激に震《ふる》え、どこの空からも七宝《しっぽう》の蓮華が雨のように降り、数知れぬ天の楽器が、だれも奏《かな》でないのに妙《たえ》なる音楽をひびかせるのでありました。

この菩薩の眼《め》は、青蓮華《しょうれんげ》の広い葉のように、パッチリしていました。その顔形の整って美しいことは、たとえ百千万の月を合わせても及ばないほどだと言ってもいいでしょう。

そのからだは純金のような色をしており、量り知れぬほどの功徳によって、美しく輝いていました。だれしも尊敬の念を起こさずにはいられぬような偉大な徳が、光明となってその身から発し、すべての吉相《きっそう》が完全に具わり、しかも天上の力士那《な》羅延天《らえんてん》のようなたくましい体格をしていました。

妙音菩薩は、七宝でつくられた楼閣《ろうかく》の中に入って虚空《こくう》を飛び、地上からはるか離れた所を、もろもろの菩薩にうやうやしく囲まれながら、この娑婆世界の霊鷲山に来られました。妙音菩薩は、霊鷲山に到着しますと、すぐ七宝の楼閣から下り、数百千金の価《あたい》を持つ首飾《くびかざ》りをささげながら、釈迦牟尼仏のお側へまいりました。そして、み足に額をつけて礼拝してから、首飾りを献上し、そして申し上げるのでした。

三五二―三―下
「世尊。浄華宿王智仏からのご挨拶《あいさつ》を申し上げます。ご病気やお障《さわ》りなどございませんでしょうか。ご気分のお悪いこともございませんでしょうか。おん立ちいも軽やかで、ご不自由なく、安楽にお過ごしになっていらっしゃいますでしょうか。おからだは順調でいらっしゃいましょうか。また、世の中のことで、お気に召さぬことなどございませんでしょうか。衆生《しゅじょう》たちはよく教化《きょうけ》に従いましょうか。貪《むさぼ》りの心や、怒《いか》りの癖《くせ》や、目先しか見えぬ愚《おろ》かさや、ひとを妬《ねた》み恨《うら》む気持や、もの惜《お》しみする心や、偉ぶる気持などが、はびこっていることはございませんでしょうか。父母に孝行を尽くさず、出家を敬《うやま》わず、誤った思想をいだき、よくない心を持ち、五官の欲望を節制できないことはございませんでしょうか。

世尊。衆生はよくもろもろの魔どもの悪念《あくねん》をうち払うことができましょうか。また、久しい以前に滅度されました多宝如来は、七宝の大塔の中にましまして、法華経が説かれた時は聴聞においでになったでしょうか」

次に、多宝如来のごきげんをもうかがいました。

「如来は、障りもなく、安らかにおいででございましょうか。久しく大塔の中にこもっておいでになるのですが、ごきげんいかがでございましょうか」

三五二—一〇—中
こう申し上げてから、釈迦牟尼仏に向かい、

「世尊。わたくしは多宝仏さまの仏身《ぶっしん》を拝みとう存じます。どうぞ世尊、世尊のお力でお目にかからせてくださいませ」と、お願い申し上げました。

釈迦牟尼如来は、即座に多宝仏に向かって、

「妙音菩薩がお目にかかりたいと申しております。どうぞお会いになってあげてください」と、おっしゃいました。すると多宝仏は、妙音菩薩の心眼《しんがん》に現れたまい、

「よろしい。よろしい。妙音菩薩よ。そなたが釈迦牟尼仏を供養し、法華経を聞き、また仏弟子《ぶつでし》たちに会うために来られたのは、たいへんりっぱなことです」と、お賞めになりました。

その時、華徳菩薩《けとくぼさつ》という菩薩が、釈迦牟尼如来におたずねいたしました。

「世尊。あの妙音菩薩は、いったい、どのような善い行いをなさり、どのような功徳を積まれて、あの素晴らしい神力《じんりき》を身につけられたのでございましょうか」

釈迦牟尼如来は、華徳菩薩に向かって、次のようにお教えになりました。

「華徳よ。それにはこういうわけがあるのです。昔、雲雷音王仏《うんらいおんのうぶつ》という仏がおられ、その国土を現一切世間《げんいっさいせけん》と言い、その時代を喜見《きけん》と言いました。その国に妙音菩薩という菩薩がおりましたが、雲雷音王仏を供養申し上げるために、一万二千年の間さまざまな音楽を奏《そう》し、そして、八万四千の七宝の器をささげました。その功徳のおかげで、いま浄華宿王智如来の国に生まれ、あのような神力を得たのです。

華徳よ。どう思いますか。昔の雲雷音王仏のみもとで、妙音菩薩として音楽をもって仏さまを供養申し上げ、無数の宝の器をささげた人が、ほかでもない、今の妙音菩薩その人なのです。華徳よ。妙音菩薩は、このようにずっと昔から無数の諸仏のおそば近く仕え、供養申し上げ、長いあいだ徳の本である善行を積み、その報《むく》いとしてまた無数の仏に遇《あ》いたてまつることができたのです」

三五三―一二―下
華徳よ。あなたは、妙音菩薩という菩薩は、ここにおられるただ一人のように見ているでしょうが、そうではないのです。この菩薩は、いろいろさまざまな身となって、所々方々に現れ、衆生のためにこの教えを説いているのです。

妙音菩薩は、あるいは梵天王《ぼんでんのう》の身となって現れ、あるいは帝釈天《たいしゃくてん》の身となって現れ、あるいは大自在天《だいじざいてん》の身となり、あるいは天大将軍《てんだいしょうぐん》の身となり、あるいは毘沙門《びしゃもん》天王《てんのう》の身となって現れるのです。徳の高い大王の身となって現れることもあれば、もろもろの小王の身となって現れることもあり、あるいは富豪《ふごう》、あるいは中堅階級、あるいは大臣、あるいは婆羅門《ばらもん》の身となって現れることもあります。僧・尼僧・男の在家《ざいけ》修行者・女の在家修行者の身となることもあれば、富豪や中堅階級の夫人・大臣の夫人・婆羅門の夫人の身となることもあります。また、男の子や女の子の身となることもあれば、あるいは天人・竜神《りゅうじん》・もろもろの鬼神《きじん》となることもあり、人間はもとより、人間以外のさまざまな生きものの身となって現れることもあります。このように、ありとあらゆるもののすがたとなって現れ、この教えを説くのです。

三五四―九―下 この妙音菩薩は、もろもろの生きものが地獄界《じごくかい》・餓鬼界《がきかい》・畜生界《ちくしょうかい》をはじめとするさまざまな苦難の世界であえいでいるのを、よく救済する人であります。王の後宮《こうきゅう》に行く必要があれば、女身《にょしん》に変じて行ってこの教えを説くのです。

三五四―一一―中 華徳よ。この妙音菩薩は、娑婆世界のすべての衆生をよく救済し、守護する人であります。さまざまにすがたを変えて身を現し、この娑婆国土にあって、もろもろの衆生のためにこの教えを説いているのですが、その神通変化《じんづうへんげ》の力や、智慧の力が、そこなわれたり、少なくなったりすることは、けっしてありません。

この菩薩は、大きな智慧をもって娑婆世界を照らし、一切衆生にその行くべき道を知らしめています。十方の無数の世界においても同様です。三五五―四―上 声聞の形をとって救うのが適当と思われるものに対しては、声聞《しょうもん》のすがたとして現れて法を説きます。縁覚《えんがく》の形をとって導くのがよいと思われるもののためには、縁覚のすがたとして現れて法を説きます。菩薩の形をとって教化するのがふさわしいと思われるもののためには、菩薩のすがたとして現れて法を説きます。仏の形をとって悟《さと》らせるのが適切だと思われるもののためには、仏のすがたとして現れて法を説くのです。

妙音菩薩は、このように、教化すべき相手に応じてさまざまなすがたとなって現れるのです。もし、死をもって教化するのが適切だと思われたら、自らの死のありさまを示し現すことさえあります。華徳よ。妙音菩薩は、このような大神通力と智慧の力を具えている菩薩なのであります」

その時華徳菩薩は、仏さまにおたずねいたしました。

「世尊。この妙音菩薩は深く善行を積んで、現在のような徳を成就《じょうじゅ》されたものと存じますが、それではどのような三昧を身につけられたために、おおせのようにさまざまな身となって至る所に現れ、衆生を教化・救済することがおできになるのでしょうか」

お釈迦さまは華徳菩薩にお答えになりました。

「善男子よ。その三昧の名は現一切色身三昧《げんいっさいしきしんざんまい》というのです。妙音菩薩は、この三昧を身につけていますので、このように無数の衆生に豊かな利益《りやく》を与えることができるのです」

こうしてお釈迦さまが妙音菩薩について詳しくご説明なさいますと、妙音菩薩と一緒に来た八万四千の菩薩は、みな現一切色身三昧を身につけることができました。また、この娑婆世界にいた無数の菩薩も同じ三昧を身につけ、また、すべての善をすすめ、悪をとどめる力を得ることができました。

妙音菩薩は、釈迦牟尼仏および多宝仏塔《たほうぶつとう》を供養するという目的を果たしましたので、本土の浄光荘厳国へ帰って行かれました。その途中の国々は、感嘆の余り大地も震え動き、美しい蓮の花を降らし、さまざまな音楽を奏して、妙音菩薩を供養申し上げたのでした。

本国へ帰着いたしますと、妙音菩薩は、八万四千の菩薩に取り囲まれながら浄華宿王智仏のみもとにまいって、次のように報告申し上げました。

「わたくしは、娑婆という現実世界にまいり、衆生に豊かな利益を与え、釈迦牟尼仏にお目にかかり、また、多宝仏塔を拝見し、ご両尊を礼拝・供養してまいりました。また、文殊菩薩・薬王菩薩・得勤精進力菩薩《とくごんしょうじんりき》・勇施菩薩などにお会いいたしました。そして、それらのたくさんの菩薩が現一切色身三昧を得るように導きました」

お釈迦さまが、妙音菩薩が娑婆国へ往復されたこの説話をなさると、四万二千の菩薩たちが、現象の変化に心を左右されない境地をしっかりと身につけ、また華徳菩薩は、法華経の教えを深く信じ、身に行って、心が散乱《さんらん》しない境地に達することができました。

智慧と慈悲の大いなる力（観世《かんぜ》音菩《おんぼ》薩普《さつふ》門品《もんぽん》第二十五）

その時、無尽意菩薩《むじんにぼさつ》という菩薩が、座から立ち上がり、右の肩を現して尊敬と奉仕のまごころを表《ひょう》し、合掌《がっしょう》しながら仏さまにおうかがいしました。

「世尊《せそん》。観世音菩薩《かんぜおんぼさつ》は、どういうわけで観世音菩薩というお名前がつけられているのでございましょうか」

仏さまは、無尽意菩薩の問《とい》にお答えになりました。

三五七―四―下
「善男子よ。それはこういうわけです。世の多くの衆生《しゅじょう》がもろもろの苦悩を受けた時、この観世音菩薩の功徳《くどく》の偉大さを聞き知って、一心にその名を称《とな》えれば、観世音菩薩は即座にその声を聞き取り、その実相《じっそう》を明らかに見通して、すべてのものを苦悩から逃れさせてくださるから、観世音と名づけられたのです。

三五七―七―上
もし、この観世音菩薩の名をしっかりと心に持《たも》ち続けるならば、たとえ大火の中に飛び込んで行っても、火はその人を焼くことはできないでしょう。この菩薩の持つ高く大きな感化力《かんかりょく》と神通力《じんづうりき》のゆえであります。同様に、もし洪水《こうずい》におし流されても、この菩薩の名を称えれば、ひとりでに浅い所に流れつくことができましょう。

三五七―九―中 たくさんの人びとが、金《きん》・銀《ぎん》・瑠璃《るり》・硨磲《しゃこ》・碼碯《めのう》・珊瑚《さんご》・琥珀《こはく》・真珠《しんじゅ》などの宝物を求めて大海に乗り出して行ったとしましょう。その時、にわかに暴風が吹き起こって船がおし流され、悪鬼《あっき》の国へ漂流《ひょうりゅう》したとしましょう。そのような危機に際しても、もし乗り組んでいる人びとの中の一人が観世音菩薩の名を称えるならば、すべての人が悪鬼にたぶらかされる難儀から逃れることができましょう。こういう理由からも、観世音と名づけられるのです。

三五八―三―上 もし、またある人が、ほかの人間に切られたり打たれたりしようとする時、観世音菩薩の名を称えるならば、ふり上げた刀でも杖《つえ》でもバラバラに折れて、その難から逃れることができましょう。

もし、この世界に充ち満ちている夜叉《やしゃ》や羅刹《らせつ》などの悪鬼が、ある人を悩まそうとしてやって来ても、その人が観世音菩薩の名を称えるのを聞いたならば、とり憑《つ》いてやろうという邪悪《じゃあく》な意志をもってその人に対することさえ、できなくなるでしょう。ましてや、実際に害を加えることなど、とうていできないのです。

また、ある人が罪をおかし、あるいは無実の罪によって、手かせ・足かせをはめられ、鎖につながれた状態となったとしましょう。その人が観世音菩薩の名を称えれば、身を拘束しているそれらの物はことごとくバラバラに壊《こわ》れ、たちまち自由の身となることができましょう。

三五八―九―下 もし、国中に凶悪《きょうあく》な賊《ぞく》どもが横行《おうこう》している所があるとしましょう。そして、一人の隊長に率《ひき》いられた隊商の一行が、りっぱな宝物を守って、険しい路《みち》を通りつつあるとしましょう。その中の一人が一同に向かって、『皆さん。恐れることはありません。みんな一心に観世音菩薩のみ名を称えなさい。この菩薩は、恐れを知らぬ心を一切衆生《いっさいしゅじょう》に施《ほどこ》してくださるお方です。皆さんも、この菩薩のみ名を称えれば、必ず盗賊の難から逃れることができます』と言い、全員がその言葉に従って声を合わせ、『南無観世音菩薩《なむかんぜおんぼさつ》』と称えたとしましょう。そうすれば、一同は必ず難を逃れることができるのであります。

無尽意よ。観世音菩薩の感化力と神通力の高く大きなことは、このとおりなのであります。

三五九―五―上 もし、性欲のために悩んでいる人があったならば、いつも観世音菩薩を念じ、敬《うやま》うように心がけておれば、ひとりでにその欲が心から離れて、悩むことがなくなるでありましょう。

何かにつけて怒《いか》りを覚え、そのために自分自身を苦しめている人があったならば、常に観世音菩薩を念じ、敬う気持を持ち続けるがよろしい。必ず怒りの習癖《しゅうへき》から離れることができましょう。

もし、人間らしい智慧《ちえ》に乏しく、愚《おろ》かさに満ちている人があったならば、いつも観世音菩薩を念じ、敬う心を持ち続けるようにするがよろしい。そうすれば、必ずその愚かさから浮かび上がることができるでありましょう。

無尽意よ。観世音菩薩はこのように偉大な感化力と神通力を持ち、衆生に豊かな利益《りやく》を与えられるのです。それゆえ、衆生は常に観世音菩薩を心に念じなければなりません。

男の子の欲しい婦人が、一心に観世音菩薩を礼拝《らいはい》し供養《くよう》するならば、必ず福徳と智慧を兼ね具《そな》えた男子を産むでありましょう。

もし女の子を得たいと思うならば、顔立ちの美しい、そして宿世《しゅくせ》に徳《とく》を積んできた果報によって多くの人びとに愛され敬われる、観世音菩薩のようなりっぱな女の子を産むでありましょう。

無尽意よ。観世音菩薩にはこのような力があるのです。もし人びとが観世音菩薩を敬い、礼拝するならば、その利益は必ずあります。それゆえに、衆生は皆、観世音菩薩の名号《みょうごう》を常に心に持《たも》っていなければなりません。

三六〇—二—中
無尽意よ。もし、ある人がガンジス河の砂の数の六十二億倍もの菩薩に対する恭《く》敬《ぎょう》の念をしっかりと持《たも》ち、一生の間そのすべての菩薩に飲食物・衣服・寝具・医薬などを供養したとしましょう。そなたはどう思いますか。こうした信仰深い人の受ける功徳は多いものでしょうか、少ないものでしょうか」

無尽意菩薩はすぐお答え申し上げました。

「もちろん、非常に多いと存じます。世尊」

そこで、仏さまはおおせられました。

「そのとおりです。ところが、無尽意よ。ここにある人があって、観世音菩薩に対する恭敬の念をしっかりと持《たも》ち、ほんのしばしの間でもそれを礼拝し、供養したとしましょう。前の人とこの人と、その受ける功徳はまったく同じで、異なるところはないのです。その功徳は、百千万億劫《ひゃくせんまんのっこう》もかかって究《きわ》めても究め尽くすことはできないほど広大なものであります。無尽意よ。観世音菩薩に対する恭敬の念をしっかり持《たも》つならば、このような限りない福徳を、利益として授《さず》かることでありましょう」

三六〇—九—上 そこで無尽意菩薩は、仏さまにおたずね申し上げました。

「世尊。観世音菩薩は、どのようにしてこの娑婆《しゃば》世界《せかい》に自由自在に出現され、どのようにして衆生のために法をお説きになるのでしょうか。その方便力《ほうべんりき》の現れはどんなものでございましょうか」

仏さまは、無尽意菩薩の問いに対してお答えになりました。

「善男子《ぜんなんし》よ。その国の衆生のうち、仏の身となって悟《さと》りを開かせるのがふさわしい相手に対しては、観世音菩薩は仏の身として現れて、法を説かれます。縁覚《えんがく》の身をもって悟りを開かせるのが適当なものに対しては、縁覚の身として現れて、法を説かれます。声聞《しょうもん》の身をもって悟りを開かせるのがよいと思われるものに対しては、声聞の身として現れて、法を説かれます。

梵天王《ぼんでんのう》の身となって救うべき相手に対しては、すなわち梵天王の身として現れて法を説き、帝釈天《たいしゃくてん》の身となって救うべきものに対しては、すなわち帝釈天の身としものに対しては、すなわち大自在天の身と現れて法を説き、天大将軍《てんだいしょうぐん》の身をもって救うのがよいと思われる相手に対しては、天大将軍の身を現して法を説き、毘沙門《びしゃもん》天《てん》の身をもって救うのがよいと思われるものに対しては、毘沙門天の身を現して法を説かれるのです。

小王の姿をとって救うのがふさわしい相手には、小王の身と現れて法を説き、富《ふ》豪《ごう》の姿をとって救うのがふさわしい相手には、富豪の身と現れて法を説き、在家《ざいけ》の知識人の姿をとって救うのがふさわしい相手には、在家の知識人の身と現れて法を説き、役人の姿をとって救うのがふさわしい相手には、役人の身と現れて法を説き、バラモンの姿をとって救うのがふさわしい相手には、バラモンの身と現れて法を説かれます。男子の出家修行者《しゅつけしゅぎょうしゃ》・女子の出家修行者・男子の在家修行者・女子の在家修行者などの身となって救うのにふさわしい相手に対しては、各々それに応じた姿を現して法を説かれます。富豪や、在家の知識人や、役人や、バラモンの学者の妻などの身となって救うのにふさわしい相手に対しては、各々それに応じた身を現して、法を説かれます。男の子や、女の子の姿をとって救うべき相手に対しては、各々それに応じた姿となって現れて、法を説かれます。

さまざまな天人や、鬼神《きじん》など、人間および人間以外のあらゆる生あるものの形をとって救うべき相手に対しては、各々それに応じた姿となって現れ、法を説かれます。執金剛神《しゅうこんごうじん》の身となって救うべき相手に対しては、すなわち執金剛神の身を現して法を説かれるのであります。

無尽意よ。観世音菩薩は、このような功徳の力を成就《じょうじゅ》している方で、さまざまな姿となってどのような場所にも自由自在に出現され、衆生を解脱《げだつ》へ導かれるのです。ですから、皆さんは、一心に観世音菩薩を供養しなければなりません。この
三六二—一〇—下 観世音大菩薩は、恐るべき危機・困難に際しても動揺することのない精神力を、衆生に施されるのです。それゆえ、この娑婆世界では、みな観世音菩薩を(82)施無畏者《せむいしゃ》と呼んでいるのです」

三六二—一二—中 それをうかがって感激した無尽意菩薩は、仏さまに申し上げました。

「世尊。わたくしは今ここで観世音菩薩を供養申し上げたいと存じます」

そう言うと、もろもろの宝石をつらねた、何万両とも知れぬ高価な首飾《くびかざ》りを首か

らはずし、観世音菩薩の前にさし出し、「あなた、どうぞ法の布施《ふせ》として、この珍しい宝の首飾りをお受けください」と申しました。

しかし、観世音菩薩はどうしてもそれを受け取ろうとはなさいません。そこで無尽意菩薩は重ねて申しました。

「どうぞ、われわれをかわいそうだと思って、この首飾りをお受けくださいませんか」

その時に、仏さまは、観世音菩薩に向かっておおせられました。

「この無尽意菩薩をはじめ、出家・在家の修行者たち、そのほかのすべての人間および人間以外の生あるものや鬼神たちの心をくみ取って、その首飾りをお受けなさい」

それをうかがった観世音菩薩は、すべての人たち及び人間以外の生類《しょうるい》・鬼類《きるい》の心をくみ取られて、即座にその首飾りを受けられました。しかし、受け取られるとすぐ、それを二つに分け、半分は釈迦牟尼仏《しゃかむにぶつ》へ、半分は多宝仏塔《たほうぶつとう》にささげられたのであります。

そこで、仏さまは無尽意のほうをかえりみられて、おおせられました。

「無尽意よ。これでよく分かったでしょう。観世音菩薩が、どうしてあのような神通力をもって自由自在に娑婆世界に出現し、多くの人びとを救済されるかというわけが、よく理解できたでしょう」

その時、無尽意菩薩は、偈《げ》によってまたおたずねいたしました。

妙《たえ》なる仏の相《そう》をお具えになった世尊。重ねて、あの方のことをおうかがいいたしとうございます。あの仏弟子《ぶつでし》には、どういうわけで観世音という名がつけられたのでございましょうか。

妙なる仏の相を具足《ぐそく》された世尊は、無尽意の問いに偈をもって答えられました。

三六四―一―中 そなたはまず、観世音菩薩がこれまでに積んできた修行の深さと、その実践力の偉大さについて、深く聞き知るべきである。

三六四―一―下 観世音菩薩は、あらゆる苦境の人びとを、その場、その場に応じた方法によって救おうという、広大な誓いを立てられた。その誓いの深さはあたかも海のごとく、普通の人間が何万年のあいだ思議《しぎ》してみても、その深さを知ることはできないであろう。

観世音菩薩は、かつて無数のみ仏に仕えて教えを受け、大清浄《だいしょうじょう》の誓願《せいがん》を起こされたのである。いかなる大願《たいがん》か、ここにあらましを説き聞かせよう。

観世音菩薩の名を聞き、身を見、常に心に念じて忘却《ぼうきゃく》することなくば、人生のもろもろの苦を滅することができるように。

三六四―四―下 もし他への害意を起こし、大いなる煩悩《ぼんのう》の火口に落ちようとも、観世音菩薩の救済力を念ずるならば、火の穴はたちまち変じて清涼《せいりょう》の池となるように。

三六四―六―上 あるいは、果てしない人生の大海に漂流し、常に生死の境をさまよいながら、それを知らず、迷いの夢にうつつを抜かし、夢がさめては失望に陥《おちい》る……このような生活を送る人間でも、観世音菩薩の力を念ずる時は、人生の波浪にうち沈められることがないように。

三六四―七―中 あるいは得意の絶頂に立っている人を、ある者が突き落とそうとしても、観世音菩薩の力を念ずるならば、下界に転落することなく、あたかも太陽のごとく虚空《こくう》にとどまることができるように。

三六四―八―下 あるいは、自身の薄弱な意志に追われ、主体性という金剛《こんごう》の山から墜落《ついらく》しそうになっても、観世音菩薩の力を念ずる時は、踏みとどまって傷一つ負うことがないように。

三六四―一〇―上 あるいは、貪欲《とんよく》という凶悪な盗賊《とうぞく》どもにひしひしと取り囲まれ、白刃のふすまの中にあろうとも、一心に観世音菩薩を念ずるならば、盗賊どもも害意を失い、かえって慈悲心《じひしん》を生ずるように。

三六四―一一―下 あるいは我執という暴虐《ぼうぎゃく》な専制君主に苦しめられ、死刑に処せられることになり、まさに命を失わんとする瞬間《しゅんかん》でも、観世音菩薩の力を強く念ずれば、ふり上げられた刀もバラバラに折れてしまうように。

三六五―一―上 あるいは煩悩という牢獄に閉じ込められ、手かせ・足かせをはめられていても、観世音菩薩の力を心に強く思うならば、その束縛《そくばく》からスルリと抜け出すことができるように。

呪《のろ》いとか、禁厭《まじない》とか、そのような人間を毒するもろもろの行為によって身をそこなわれようとする者も、観世音菩薩の力を念ずるならば、それらをことごとく跳《は》ね返し、呪いは、かけた当の本人に返っていくように。

三六五―四―上 猛々しい魔や、毒を持った竜や、もろもろの鬼どものような悪思想にまどわされそうになることがあっても、観世音菩薩の力を念ずるならば、それらに害されることがないように。

三六五―五―中 本能の衝動という猛悪な獣《けだもの》どもが身を取り囲み、鋭い牙《きば》や爪《つめ》をもって襲いかかろうとも、観世音菩薩の力を念ずるならば、たちまちはるか彼方へ走り去ってしまうように。

三六五―六―下 ヘビ・マムシ・サソリなどに似た、人生を不愉快にする小煩悩どもが、煙のような毒気を吐《は》きながら集まって来ても、観世音菩薩の力を念ずるならば、すべてクルリと向きを変え、いずこかへ去っていくように。

三六五―八―上 黒雲が広がり、雷《かみなり》がひびき、稲妻《いなずま》が光り、雹《ひょう》を降らし、大雨をそそぐような、荒れ狂う心の暗黒も、観世音菩薩の力を念ずればたちまち消え失せ、青空のごとき心を取り戻すように。

三六五―九―中 多くの人びとがさまざまな困難に遭《あ》い、無量《むりょう》の苦に身を責められる時、観世音菩薩の不可思議な智慧の力は、よく世間の苦を救うであろう。

三六五―一〇―下 観世音菩薩は自由自在な神通力を具え、その場・その人・その事にピタリと適応する救いの智慧を身につけ、必要ならば、十方世界のいかなる所にも現れて、救いを実現するであろう。

かくして観世音菩薩は、人間をもろもろの悪道より救出し、生・老・病・死の苦を次第に取り除き、ついにはことごとく消滅させるであろう。これが観世音菩薩の大願である。

三六六―一―上
観世音菩薩は、真実を見極める眼《まなこ》を持っておられる。迷いのない、清らかな眼を持っておられる。宇宙の万物をおのれと一体と見る、広大な眼を持っておられる。あらゆる衆生を幸せにしてあげたいという、慈《いつく》しみに満ちた眼を持っておられる。苦しみ悩める者を見ては救わずにはいられぬ、憐《あわ》れみをたたえた眼を持っておられる。

三六六―一―下
人びとは、常にそのような眼を仰《あお》ぎ見ては深く心に刻み、そのような眼を持ちたいと願望しなければならない。

三六六―二―上
観世音菩薩のおん身からは、無《む》垢清浄《くしょうじょう》の光が放たれ、その智慧はあたかも太陽のごとく、すべての迷いの闇を破り、もろもろの不幸をうち滅ぼし、普《あまね》く世を明るく照らすのである。

三六六―三―中
観世音菩薩の説かれる戒《いまし》めは、ひとえに衆生の苦しみを解きほぐしてあげようとの愛情に根ざしたものであるがゆえに、その力は雷鳴のうち震《ふる》うがごとく偉大である。衆生に幸せを与えずにはおかぬその慈しみの心は旱魃《かんばつ》に苦しむ国土をたちまち覆《おお》う大雲に似て、甘露《かんろ》のごとく至上の味わいのある教えの雨を普く降りそそがせ、煩悩の炎を消滅する。

三六六—四—下 もろもろの紛争に際し、平和的手段によってはついに解決せず、力づくの戦いとなり、強迫と恐怖のただ中に置かれようとも、観世音菩薩の智慧と慈悲の力を念ずるならば、そのもろもろの忌《い》まわしいものごとは、雲散《うんさん》してしまうであろう。

三六六—六—上 観世音菩薩は至上至妙の真理（妙法《みょうほう》）を説く人である。世のあらゆる人間の、心の底に願うことを明らかに聞き分ける人である。教えを説かれるその声の清らかさ、説かれる教えの妙なる尊《とうと》さは、何に譬《たと》えようもない。その教えは、あたかも海鳴りのごとく、人びとの胸奥《きょうおう》に染み入る。それは、まこと世間のすべての迷いや苦しみを征服《せいふく》するものである。それゆえに、常に観世音菩薩を心に念じていなければならない。

三六六—七—上 観世音菩薩は清らかな身であられ、あらゆる苦悩・災厄《さいやく》に直面した衆生にとって、真実頼りとなる帰依《きえ》の対象である。そのことを一瞬たりとも疑ってはならない。

三六六—八—上
観世音菩薩は、すべての功徳を具え、(100)慈悲の眼をもって常に衆生を見ている人である。あたかもすべての川が海に聚《あつ》まるように、無量の福《しあわせ》がその力によって呼び寄せられるのである。このゆえに、観世音菩薩を心から礼拝しなければならない。

この説法《せっぽう》をうかがって感動した持地《じじ》菩薩は、座から立ち上がって仏さまのみ前に進み、つつしんで申し上げました。

「どのような衆生でも、この観世音菩薩の衆生済度の自由自在なはたらきと、相手に応じてさまざまに姿を変え、あらゆる所に出現される神通力を聞き知った人は、少なからぬ功徳を得ることでございましょう」

こうして仏さまがこの普門品《ふもんぽん》を説き終えられますと、聴聞《ちょうもん》の大衆のうちの多くの人びとが、くらべるものもなく尊い、そしてだれにも平等に道が開かれている「仏の智慧を得たい」という人間至上の願いを起こしたのでありました。

法華経行者守護の真言（陀羅尼品《だらにほん》第二十六）

そのとき薬王菩薩《やくおうぼさつ》は座から立ち上がり、うやうやしく右の肩を肌脱《はだぬ》ぎして尊敬と奉仕の意を表《ひょう》し、合掌《がっしょう》しながら仏さまに申し上げました。

「世尊《せそん》。もし信仰深い男女がこの法華経《ほけきょう》の教えを信じ、心に持《たも》ち、読誦《どくじゅ》し、その意味に精通し、あるいはその経巻《きょうがん》を書写《しょしゃ》したといたしますと、どのような功徳《くどく》を得るものでございましょうか」

仏さまは、薬王菩薩におおせられました。

「もし信仰深い男女があって、ガンジス河の砂の何千万億倍《まんのくばい》もの数の諸仏《しょぶつ》を供養《くよう》申し上げたとしましょう。あなたはどう思いますか。その人の得る功徳は多いでしょうか。少ないでしょうか」

薬王菩薩は、すぐさまお答え申し上げました。

「もちろん、非常に多いことと存じます。世尊」

仏さまはおおせられました。

「ところが、信仰深い男女が、もしこの経の四句偈《しくげ》の一つでも信じ、心に持《たも》ち、読誦し、意味を理解し、そして教えのとおり修行《しゆぎよう》するならば、その功徳は前に言ったものよりもはるかに大きいのです」

それをうかがった薬王菩薩は、感激を面《おもて》に表しながら申し上げました。

「世尊。法華経の尊《とうと》さがよく分かりました。わたくしは今、法華経の説法者《せつぽうしや》を守護するために、(96)総持《そうじ》真言《しんごん》を贈りたいと思います」

そして、その(96)神呪《じんしゆ》を唱えました。

不思議よ、思惟《しゆい》よ、意念《いねん》よ、無心よ、永遠よ、修行よ、寂然《じやくねん》よ、淡泊《たんぱく》よ、玄黙《げんもく》よ、解脱《げだつ》よ、済度《さいど》よ、平等よ、無邪心よ、心の平和よ、平等な見方よ、迷いの滅尽《めつじん》よ、無尽の善よ、解脱の徹底よ、寂《しず》かに動揺しない心よ、淡泊な心よ、総持よ、観察よ、光明よ、自らを依りどころとする心よ、究極の清浄《しようじよう》よ、凹凸《おうとつ》のない平坦よ、高低のない平坦よ、回転しない心よ、旋《めぐ》ることもない心よ、清浄の眼《まなこ》よ、等しくして等しき所なきことよ、悟《さと》りの絶対境よ、法の完全な観察よ、教団の完全な和合よ、明快な説法よ、(96)真言よ、真言に安住する心よ、無尽のはたらきよ、ひびきわたる声よ、大衆の声に対する明察《めいさつ》よ、教えの理解よ、無尽の教えよ、顧慮《こりよ》することなく法に従う自在の境地よ。

薬王菩薩はこの神呪を唱え終わると、次のように申し上げました。

「世尊。この総持真言は、ありとあらゆる仏さまのお説きになったものでございます。それゆえ、もしこの神呪に守られて法華経を持《たも》つ法師《ほつし》に迫害《はくがい》を加える者がありますならば、それはありとあらゆる仏さまに迫害を加えることになるのでございます」

釈迦牟尼仏《しやかむにぶつ》は、次のようにおおせられて、薬王菩薩をお賞めになりました。

「よろしい。よろしい。薬王よ。そなたは、法華経の教えを説き広める法師たちの身を心配し、それを守護するために、このような総持真言を説きました。必ずや、多くの衆生《しゆじよう》に豊かな利益《りやく》を与えるでありましょう」

その時、今度は勇施菩薩《ゆうぜぼさつ》が仏さまに申し上げました。

「世尊。わたくしも、法華経を受持《じゆじ》し、読誦する人たちを守護するために、総持真言を説こうと存じます。もし、それらの法師がこの総持真言を得ますならば、夜叉《やしや》とか、羅刹《らせつ》とか、富単那《ふたんな》とか、吉蔗《きつしや》とか、鳩槃荼《くはんだ》とか、餓鬼《がき》のような、人間に害を加える鬼どもが、その法師の弱点を探したて、それにつけ入ろうとしても、つけ込む隙《すき》を見いだすことはできますまい」そう言って、次の神呪を唱えました。

三六九―四―上 光炎よ、大光炎よ、智慧《ちえ》の光明《こうみよう》よ、光明をのべ広げるものよ、順調な成就《じようじゆ》よ、富有《ふゆう》よ、歓喜《かんき》よ、欣然《きんぜん》たるものよ、安住よ、秩序を立てるものよ、永住よ、迎《げい》合《ごう》することのないものよ、無意味に集まることのないものよ。

「世尊。この総持真言は、ありとあらゆる仏さまがお説きになったものであり、それに大いなる喜びを覚えられたものであります。それゆえ、もしこの神呪に守られて法華経を持《たも》つ法師に迫害を加える者がありますならば、それは、ありとあらゆる仏さまに迫害を加えることになるのでございます」

今度は、世を守る毘沙門天王《びしやもんてんのう》が、仏さまに申し上げました。

「世尊。わたくしも、衆生を憐れみ、法華経を説く法師を守護するために、総持真言を説くことにいたしましょう」そして、すぐさま次の総持真言を唱えました。

三六九―一一―上 富有よ、遊戯を調《ととの》えるものよ、無戯《むぎ》よ、無量《むりよう》よ、富《とみ》のないものよ、すべてを富《と》まさずにはおかぬ女神《じよしん》よ。

「世尊。この総持真言の偉力によって法華経を説く人びとを守護いたしましょう。

また、わたくし自身もこの教えを受持する人びとを守護いたしまして、その住む場所の百里以内には、すべての障《さわ》りがないようにいたしましょう」

その時、持国天王《じこくてんのう》も法会《ほうえ》の中におりましたが、その持国天王も立ち上がって、無数の鬼神《きじん》たちに囲まれながら仏さまのおん前に進み、合掌して申し上げました。

「世尊。わたくしもまた、総持真言によって、法華経の教えを持《たも》つ者を守護いたしましょう」そして、次の神呪を唱えました。

三七〇—五一—上 無数の、有数福《ゆうすうふく》女神よ、白光《はつこう》女神よ、持香《じこう》女神よ、曜黒《ようこく》女神よ、摩燈耆《まとうぎ》女神よ、大体軀毒《だいたいくどく》女神よ、至高の真理を順述《じゅんじゅつ》することを得せしめよ。

「世尊。この総持真言は、無数の仏さまがお説きになったものでございます。もしこの神呪に守られて法華経を持《たも》つ法師を迫害する者がありましたならば、それはすなわち、その無数の仏さまを迫害することになるのでございます」

その時、法会の中にたくさんの鬼女《きじょ》がおりました。第一は藍婆《らんば》、第二は毗藍婆《びらんば》、第三は曲歯《こくし》、第四は華歯《けし》、第五は黒歯《こくし》、第六は多髪《たほつ》、第七は無厭足《むえんぞく》、第八は持瓔珞《じようらく》、第九は皐諦《こうたい》、第十は奪一切衆生精気《だついっさいしゅじょうしょうけ》という名でありました。この十人の羅刹女《らせつにょ》が、鬼子母《きしも》とその子ども及び家来《けらい》たちと共に仏さまのおん前にまいり、声を揃えて申し上げました。

「世尊。わたくしどもも、法華経を読誦し、受持する者を守護いたしまして、いろいろな障りがないようにしてあげたいと存じます。もし法華経を説く法師のあら探しなどをしようとする者があっても、その手がかりを封じてしまいましょう」

そして、すぐさま仏さまのおん前で総持真言を唱えました。

三七一―三―上 これにおいて、ここにおいて、これにおいて、これにおいて、民《たみ》において、無《む》我《が》よ、無我よ、無我よ、無我よ、無我よ。すでに興《おこ》った。すでに興った。すでに興った。すでに興った。しかも立つ。しかも立つ。しかも立つ。よく持《たも》ち、害を加うる者はない。よく持《たも》ち、害を加うる者はない。

「もし、何ものかが、わたしの頭の上に乗ることがあっても、それを忍びましょう。そのかわり、法華経を説く人を悩ますことだけは絶対に許しません。夜叉でも、羅刹でも、餓鬼でも、富単那でも、吉蔗でも、毗陀羅《びだら》でも、犍駄《けんだ》でも、烏摩勒《うまろ》伽《ぎゃ》でも、阿跋摩羅《あばつまら》でも、夜叉吉蔗《やしゃきつしゃ》でも、人吉蔗《にんきつしゃ》でも、そのような鬼どもが法師にとり憑《つ》いて熱病にかからせ、一日、二日、三日、四日ないし七日、もしくは常に苦しませることがないように、また、その鬼どもが男の形になり、女の形になり、童子の形になり、童女の形になって修行の妨《さまた》げをし、あるいは夢の中に現れて悩ますことがないように、命をかけて守ります」

こういう祈りをささげてから、さらに次の偈を唱えました。

もし、この総持真言にそむいて、なおかつ法華経の説法者を悩ます者があったら、その罪の報《むく》いとして頭が阿梨樹《ありじゅ》の枝のようにバラバラに裂けてしまうであろう。その罪は、父母を殺すのと同様の大罪であり、また、油を虫ごとしぼる罪、斗《ます》や秤《はかり》をごまかす罪、また提婆達多《だいばだった》が教団の和合を破ったのと同じような大罪である。それゆえ、法華経を説く法師を害する者は、まさにこのような罰を自ら受けるであろう。

この偈を唱え終わった羅刹女たちは、さらに仏さまにお誓い申し上げました。

「わたくしどもは、身をもってこの教えを受持・読誦・修行する人びとを守護いたしまして、いつも安穏《あんのん》でおられますように、もろもろの障りがないようにいたします。たとえ、毒殺しようとくわだてるものがありましても、その毒を消してしまいましょう」

仏さまは、もろもろの羅刹女たちにお告げになりました。

「よろしい。よろしい。そなたたちが、たんに法華経を受持する人びとを守護するだけでも、その功徳は量り知れないほどでありましょう。ましてや、その教えをよく理解して信じ、その経巻に花やもろもろの香、すなわちふりかける香・からだに塗《ぬ》る香・焼《た》く香や、首飾《くびかざ》りや、旗《はた》・天蓋《てんがい》などを供え、かつ音楽を奏して感謝のまごころをささげ、また種々の灯明《とうみよう》、すなわち乳酪《にゆうらく》の灯明や、植物油の灯明や、蘇摩那《そまな》華油《けゆ》・瞻蔔華油《せんぼつけゆ》・婆師迦華油《はしかけゆ》・優鉢羅華油《うはつらけゆ》のような香油の灯明など百千種の灯明をともして供養する者を守護するならば、その功徳はますます広大なものでありましょう。皐諦をはじめとする羅刹女たち、及びその部下たちよ。そなたたちは、必ずこのような法師を守護しなければなりません」

こうおおせられて、この説法を終えられましたが、これをうかがった無数の人たちは、諸法がほんらい空《くう》であるという悟りを究《きわ》めて、ふたたび迷いへ逆転することのない境地に達したのでありました。

実証こそは人を導く（妙荘厳王本事品《みょうしょうごんのうほんじほん》第二十七）

さて仏さまは、説法《せっぽう》の座に集まっているさまざまな人たちに向かって、次のような話を語りはじめられました。

「はるかな昔、考えることもできないほど遠い遠い昔に、一人の仏がおられました。雲雷音宿王華智《うんらいおんしゅくおうけち》如来《にょらい》、応供《おうぐ》・正偏知《しょうへんち》というみ名であられました。その国の名を光明荘厳《こうみょうしょうごん》と言い、時代の名を喜見《きけん》と言いました。その仏の教えの行われている世界に一人の王があり、妙荘厳《みょうしょうごん》と言いました。夫人の名を浄徳《じょうとく》と言いました。二人の子どもがいて、一人を浄蔵《じょうぞう》と言い、一人を浄眼《じょうげん》と言いました。

この二人の子は、大神通力《だいじんづうりき》を持ち、すぐれた福徳と智慧《ちえ》を具《そな》え、長い間、菩薩《ぼさつ》の行うべき道を修めてきました。三七三―八―中 すなわち、布施《ふせ》・持戒《じかい》・忍辱《にんにく》・精進《しょうじん》・禅定《ぜんじょう》・智慧の六つの徳を完成し、それらを実践する正しい方法をも究《きわ》め、また、人を慈《いつく》しみ、悲《あわ》れみ、人と共に喜び、恩怨《おんえん》を捨ててかえりみぬとらわれのない心を成就《じょうじゅ》し、そのほか、仏の悟《さと》りに至るさまざまな細かい修行《しゅぎょう》の道もすべて明らかに理解し、通達《つうだつ》していたのであります。

また、この二人の子は、菩薩の資格であるもろもろの三昧《さんまい》、すなわち煩悩《ぼんのう》を徹底的に除こうとする三昧・太陽や星のように明らかな智慧を具えようとする三昧・自らの浄《きよ》らかな徳《とく》の光によって周囲を照らし出していこうという三昧・身体《しんたい》や表情や挙動のすべてに清らかな徳を具えたいという三昧・自分の徳をもって周囲を浄化していこうという三昧・徳を成就することによって長く荘厳《しょうごん》の身になろうという三昧・一切の人間に対する無限の感化力《かんかりょく》のある徳を具えたいという三昧、これらの三昧のすべてによく通達していました。

その時、雲雷音宿王華智仏は、妙荘厳王《みょうしょうごんのう》を悟りへ導こうとお考えになり、また多くの人びとの幸せをも念じられるみ心から、法華経《ほけきょう》の教えをお説きになることになりました。

三七四―一一下 それを聞いた浄蔵・浄眼の二王子は、母の所へ行き、合掌《がっしょう》しながら、『母上さま。どうか雲雷音宿王華智仏のみもとへおまいりにお出かけください。わたくしどももお供して、親しく仏さまのお側にまいり、供養《くよう》し、礼拝《らいはい》いたしとうございます。なぜかと申しますと、その仏さまは、一切の天人や人間のために法華経という尊《とうと》い教えを説こうとなさっておられるからです。ぜひ、お聞きしたいものでございます』と申しました。

母は、子どもたちに『そなたたちのお父さまは仏法《ぶっぽう》以外の教えを信仰し、バラモン教に深くとらわれておいでになります。そなたたちは、お父さまに申し上げて、一緒にお出かけになるようにしてはどうですか』と言われるのでした。

三七四―六―下　浄蔵と浄眼は、合掌しながら母に申しました。『わたくしたちは仏さまの子ですのに、ああ、どうしてこんなまちがった教えを信ずる家に生まれたのでしょう』と。

三七四―八―中　ややあって、母は子どもたちに向かって『そんなにお父さまのことを心配するなら、お父さまがびっくりなさるような信仰の実証を見せておあげなさい。それをごらんになれば、お心は必ずほぐれてくるでしょう。そして、あるいはわたしたちが仏さまのみもとにおまいりすることを許してくださるかもしれません』と言いました。

三七四―一〇―中　そこで二人はさっそく父のもとへ行き、父のためを思う心から、さまざまな奇跡《きせき》を演じて見せました。すなわち、数十メートルも虚空《こくう》の上に跳び上がり、空中を歩いたり、止《と》まったり、坐ったり、横になったりして見せました。また頭の上から水を噴き出し、足の先から火を噴き出すかと思うと、今度は足の先から水を噴出《ふんしゅつ》させ、頭の上から火を噴出させます。また、空いっぱいになるような大きなからだになったかと思うと、豆粒のように小さくなります。空中でパッと姿を消したかと思うと、地べたからスーッと現れてきます。まるで水が浸《し》みこむように地中に入っていくかと思うと、まるで地べたを歩くように水の上を歩くのです。

このようなさまざまな奇跡を演じて見せましたので、父の王はすっかり清浄《しょうじょう》になって、子どもたちの神通力を素直に認めたのでありました。

父の王は、子どもたちの神通力の偉大さを目のあたりに見て、大いに歓喜《かんき》し、かつて経験したことのない感動を覚えました。思わず合掌して、子どもたちにたずねました。『いったい、そなたたちの先生はだれなのか。だれにそんなことを教えられたのか』と。

二人の子はすぐに『大王よ。雲雷音宿王華智仏さまです。あの美しい菩提樹《ぼだいじゅ》の下の法座《ほうざ》にお坐りになっておられるお方です。その仏さまは、この世界のすべての天人や人間のために、広く法華経という教えをお説きになるのです。その仏さまが、わたくしどもの先生です。わたくしどもは、そのお方の弟子なのです』と答えました。

父は言いました。『そうか。わたしも、そなたたちの先生に、お目にかかってみたい。一緒に行ってくれないだろうか』

それを聞くと、王子たちは小躍《こおど》りしながら、空から降りてきました。そして、母の所へ駆け寄って、合掌しながら申しました。

三七五―二―上『おっしゃったとおり、父上はもう仏法の偉大さがお分かりになり、それを信じ、仏の悟りを求めるのに堪《た》えうるほどの心境に達せられました。わたくしどもは、父上のために、仏さまの道を説く大事な仕事をいたしました。この上は、母上さま、お願いでございますから、あの仏さまのお側にまいって出家《しゅつけ》し、仏道《ぶつどう》を修行することをお許しくださいませんか』と。

そして二王子は、重ねてその意を述べようとして、偈《げ》によって母に申し上げるのでした。

願わくは母上、わたくしどもが出家して、沙門《しゃもん》となることをお許しください。

仏さまに遇《あ》いたてまつる機会は、容易に得られるものではありません。わたくしどもは、今こそ仏さまのみもとで仏道を学びたいのです。優曇波羅《うどんばら》の花の咲くのを見るよりも、仏さまに遇いたてまつるのはもっとむずかしいのです。この機会をはずせば、修行に入る障害もいろいろと起こり、それを逃れることも、むずかしくなりましょう。それゆえ、どうぞ、今われわれの出家をお許しください。

母は、すぐに承知され、『そなたたちの出家を許します。なぜならば、そなたたちの言うように、仏さまに遇いたてまつるのは、本当にむずかしいことですから……』とおっしゃいました。

そこで二人は大喜びして、両親に向かって、『父上さま、母上さま、有難うございます。父上も、母上も、どうぞあの雲雷音宿王華智仏さまのみもとへおまいりなさり、親しくお目どおりされて、仏さまを供養なさってください。なぜこう申し上げるかと言いますと、三七六—一〇—中 優曇華の咲くのを見ることがなかなかできませんように、または一眼《いちげん》の亀が大海に浮いた木の穴を見つけることが、非常にむずかしいのと同じように、仏さまに遇いたてまつる機会というものはめったに得られないからでございます。幸いわたくしどもは、前世《ぜんせ》に善い業《ごう》をたくさん積んだものとみえまして、仏法の行われる国に生まれ合うことができました。ですから、父上さま、母上さま、どうぞ、わたくしどもに出家をお許しくださいませ。本当に、仏さまにはめったにお目にかかれませんし、その機会にもめったに会うことはできないのですから……』こう切々と訴えるのでありました。

二王子の熱心な言葉を側で聞いていた、妙荘厳王の奥御殿に仕える多くの女官たちも、みな法華経の教えを受持《じゅじ》するのに堪えうるほどの心境に立ち至りました。

三七七―二―下　浄眼菩薩は久しい以前から法華経の教えを完全に体得し、それに決定《けつじょう》していました。浄蔵菩薩は、はるかな昔から、もろもろの悪道《あくどう》からまったく離れた清浄の心となる三昧に通達していました。それも、けっして自分たちの解脱《げだつ》のためではなく、ひたすらに一切衆生《いっさいしゅじょう》を憐れんで、もろもろの悪道から離れさせてあげたいという菩《ぼ》薩心《さっしん》からでありました。また王妃も、以前から正しい信仰に励んで、諸仏《しょぶつ》の教えを理解する力を得、諸仏のみ心の中にある深い教えを知ることができるようになっていました。

三七七―六―上　さて二人の王子は、前に述べたような方便力《ほうべんりき》をもって、よくその父を教化《きょうけ》し、仏法を信じ、理解し、喜んでその教えを求める心を起こさせたのでありました。そこで、妙荘厳王は大臣たちや多くの家来《けらい》たちを引き連れ、浄徳夫人《じょうとくぶにん》は奥御殿の女官や、その部下たちを連れ、二王子はおおぜいの民衆を引き連れて、一緒に仏さまのみもとへまいりました。おん前に到着しますと、仏さまのみ足に額《ひたい》をつけて礼拝し、その周りを三たび回って仏徳《ぶっとく》を賛嘆し、それを終わって、一方に控えて坐りました。

そこで雲雷音宿王華智仏は、王のために、やさしい教えからだんだんに順を追って、法を説いてお聞かせになりました。王は、初めて触《ふ》れることのできた真実の教えに、大いなる歓喜を覚えたのでありました。

そこで、王と王妃は、仏さまに感謝のまことをささげようと、首にかけていた高価な真珠の首飾《くびかざ》りをバラバラに解いて、その玉を仏さまのみ上に散じました。すると、その玉はたちまち虚空の中において四つの柱のある美しい台となり、りっぱなその床の上には数知れぬ天の衣が敷かれています。そしてその上に仏さまがお坐りになり、美しい大光明《だいこうみよう》を放っておいでになるのです。

妙荘厳王はそれを拝して、心の中に——ああ、仏さまは有難い相《そう》をしておいでになる。正しく整《ととの》った厳《おごそ》かさで、ほかに見ることのできぬ尊さが溢《あふ》れており、何とも言えぬ美しいおからだの相を完成していらっしゃる——と感嘆するばかりでありました。

三七八―三―中　その時、雲雷音宿王華智仏は、一同にお告げになりました。

『皆さん。この妙荘厳王が、わたしの前に合掌して立っているすがたをどう見ますか。この王は、わたしの教えに従って比丘《びく》となり、仏となるべきもろもろの道を一心に習い、修め、怠《おこた》ることなく励んだ後、必ず仏の悟りに達することができましょう。仏としての名を娑羅《しゃら》樹王仏《じゅおうぶつ》、国を大光《だいこう》、時代を大高王《だいこうおう》と名づけましょう。娑羅樹王仏のもとには、帰依《きえ》した無数の菩薩や声聞《しょうもん》がおり、その国は平坦な美しい国土でありましょう。妙荘厳王の仏道修行の功徳《くどく》は、このように広大なものであります』

三七八―八―中　大王はただちに王位を弟にゆずって、国政を任《まか》せ、王妃・二王子および多くの家来たちと共に仏法に帰依し、出家して仏道を修めることにしました。そして、それから八万四千年の間、常に一心に精進して法華経の教えを修行しましたので、ついに、多くの人を救うはたらきをしながら少しも報《むく》いを求めぬ浄らかな心の決定《けつじょう》した、美しい境地に達することができました。

この三昧を得ますと、王はたちまち虚空高くのぼり、そこにとどまりました。そして、仏さまに次のように申し上げるのでした。

『世尊。 三七八―一二―上 わたくしを仏道に引き入れてくれたのは、わたくしの二人の子どもでございます。二人の子どもが信仰の実証をいろいろと示してくれて、わたくしのまちがった信仰を一転させ、仏法の中に安住させてくれました。そして、世尊《せそん》にもお目にかからせてくれたのでございます。まことに、この二人の子どもは、わたくしの善い友・善い指導者でございます。もとより、わたくしにも宿世《しゅくせ》に積んだ善根《ぜんこん》があったからこそ、仏さまにも遇いたてまつることができたのでございましょうが、この子どもたちは、その善根に芽を出させ、わたくしに饒《ゆたか》な利益《りやく》を与えるために、わが家に生まれてきたものでございましょう』と。

それをお聞きになった雲雷音宿王華智仏は、妙荘厳王に対してお告げになりました。

『そのとおりです。そのとおりです。あなたが言われるとおりです。信仰深い男女は、前世《ぜんせ》においてよく善根を植えたればこそ、いくど生まれ変わっても、善い友・

善い指導者に会うことができるのです。そして、その善い友・善い指導者こそは、よく人を誘って仏の道へ入らしめ、さまざまに教え導いて仏の悟りへ達せしめるものであります。大王よ。三七九―七―上 善い友・善い指導者に会うということは、まことに尊い因《いん》縁《ねん》です。その教化と指導があればこそ、仏を見ることもできれば、仏の智慧を得たいという発心《ほっしん》もするのです。

大王よ。あなたは二人の王子を、どう考えていますか。実は、この二人は、過去《かこ》世《せ》においても無数の諸仏のみもとに仕え、親しく教えを受け、常に敬《うやま》い拝み、そして法華経をしっかりと心に保持し、誤った考えを持つ衆生を憐れと思って正しいものの見方へ導いた……そういう尊い経歴を持った人なのです』

それをうかがった妙荘厳王は、空中から地上に降り立ち、仏さまを賛嘆して申し上げました。

『この世で最も尊いお方、真如《しんにょ》から来られたお方、仏さまは、まことにこの世に希《まれ》なお方でございます。すべての衆生を救いたもう功徳と智慧の象徴として、頭頂《ずちょう》の肉髻《にっけい》からは光明が照り輝いております。おん眼は長く、広く、紺青《こんじょう》の色をたたえておられます。眉間《みけん》の渦毛《うずげ》は、その白いことはまるで白碼碯《しろめのう》の月のようでございます。おん歯は白く、すきまなく整い、光り輝いております。おん唇《くちびる》の色は、まるで頻婆《びんば》樹《じゅ》の実のように美しい赤色であられます』と。

妙荘厳王は、仏のおからだに具わった無量《むりょう》のお徳を賛嘆し終わると、おん前において一心に合掌しながら、また申し上げるのでした。

『世尊のお徳は譬《たと》えようもなく偉大でございます。今まで聞いたことも見たこともございません。仏さまの教えには、考え及ぶことのできないほどすぐれた救いの力が具わり、充ち満ちております。その教えや戒《いまし》めを実践することは少しも苦痛でなく、心安らかに楽しく行じていくことができます。仏さま、きょうからわたくしは、自分の迷いの心に引きずられることをいたしますまい。まちがった考え・おごりうぬぼれる心・怒りや恨《うら》みの念・その他もろもろの悪い心を起こしますまい。このことを固くお誓いいたします』

そう申し上げると、仏を伏し拝んで退出していくのでありました」

お釈迦《しゃか》さまは、聴聞《ちょうもん》の大衆に向かっておおせられました。

「あなたたちは、どう思いますか。この妙荘厳王こそ、ほかでもありません、今の華《け》徳《とく》菩《ぼ》薩《さつ》その人です。また浄徳夫人は、今わたしの前にいる光照荘厳相菩薩《こうしょうしょうごんそうぼさつ》こそ、その人であります。妙荘厳王とその一族たちを憐れむ心をもってこの世に生まれ、妙荘厳王の夫人《ぶにん》となったのであります。また、二人の王子は、現在の薬王菩薩《やくおうぼさつ》・薬《やく》上菩薩《じょうぼさつ》その人であります。

この薬王・薬上の二菩薩は、このような大功徳を成し遂げ、無数の諸仏のみもとにおいて人を救い世を救う徳行《とっこう》を積み重ね、そして考え及ぶことのできないほどの善い功徳を成就したものであります。ですから、この二菩薩の名を聞いた人は、人間であろうと天上界《てんじょうかい》のものであろうと、すべてその尊い功徳に対して心から礼拝しなければなりません」

仏さまが、前世における妙荘厳王の物語にことよせたこの教えをお説きになりますと、多くの人びとが煩悩・罪悪から離れて、すべてのものを見る目が清浄となりました。

普賢菩薩の誓いと励まし（普《ふ》賢《げん》菩《ぼ》薩《さつ》勧《かん》発《ぼつ》品《ぽん》第二十八）

お釈迦《しやか》さまが《妙荘厳王本事品《みようしようごんのうほんじほん》》の説法《せつぽう》を終えられ、一同が感激にひたっているところへ、多くの人びとを救う自由自在な法の力と、多くの人びとを感化《かんか》する偉大な徳《とく》の力とで普《あまね》く名の知れわたった普賢菩薩《ふげんぼさつ》が、数えきれないほどの大菩薩と共に東のほうからこの娑婆世界《しやばせかい》へ向かって来られるのが見えました。その通り道にある国々はみんな感動にうち震《ふる》い、美しい蓮華《れんげ》の雨を降らせ、妙《たえ》なる音楽を奏してその一行を供養しました。

普賢菩薩をはじめとする大菩薩団は、無数の天人や、竜《りゆう》・夜叉《やしや》・乾闥婆《けんだつば》・阿修羅《あしゆら》・迦楼羅《かるら》・緊那羅《きんなら》・摩睺羅伽《まごらが》などの鬼神《きじん》たちや、人間や、人間以外のあらゆる生あるものたちにうやうやしく取り巻かれ、かしずかれていました。その中で、普賢菩薩は、さまざまな神通《じんづう》の力や威徳《いとく》の力を現しながら、この娑婆世界の霊鷲山《りようじゆせん》に到着したのでありました。到着いたしますと、ただちに釈迦牟尼仏《しやかむにぶつ》のみ足に額《ひたい》をつけて礼拝《らいはい》し、その周囲を右回りに七回《かい》回って仏徳《ぶっとく》を賛嘆し、そして仏さまに申し上げました。

「わたくしは、宝威徳上王仏《ほういとくじょうおうぶつ》の国におりましたが、この娑婆世界で仏さまが法華経《ほけきょう》をお説きになっておられることをはるかにうかがいまして、このとおり、無数の菩薩たちと一緒に、拝聴にまいりました。どうぞ世尊《せそん》、わたくしどものためにも教えをお説きくださいませ。まず、おうかがいいたしたいことがございます。仏さまがこの世をお去りになりました後、信仰深い人びとは、どうしてこの教えを得ることができるのでございましょうか」

三八二―一二―上 仏さまは普賢菩薩にお答えになりました。

「もし信仰深い男女が、次の四つのことがらを成就《じょうじゅ》すれば、如来《にょらい》の滅後《めつご》においてもこの法華経をつかんだことになり、法華経の真の功徳《くどく》を得ることができましょう。

その四つのことがらとは何か……。

第一に、諸仏《しょぶつ》に護念《ごねん》されていること。

第二に、もろもろの徳本《とくほん》を植えること。

第三に、正しい教えを実践する人びとの集団に入ること。

第四に、一切衆生《いっさいしゅじょう》を救おうという心を起こすこと。

もし信仰深い男女が、この四つのことがらを満足に行えば、わたしがこの世を去った後においても、必ずこの法華経を自分のものにすることができるでしょう」

その時、普賢菩薩は、仏さまに申し上げました。

「世尊。有難うございます。よく分かりました。わたくしはお誓いいたします。後《のち》の五百歳の濁《にご》りきった悪い社会の中で、この教えを受持《じゅじ》する者がおりましたならば、その者をしっかり守護いたしましょう。もろもろの障《さわ》りを取り除き、いつも安《あん》穏《のん》に法を行えるようにいたしましょう。何かの隙《すき》をねらってとり憑《つ》き、修行を妨《さまた》げたり、迫害《はくがい》を加えようとする者たちに、その手がかりを与えないようにいたしましょう。魔にしましても、魔の子にしましても、女の魔にしましても、あるいは魔の手下どもにしましても、魔にとり憑かれた者にしましても、あるいは夜叉・羅刹《らせつ》・鳩槃荼《くはんだ》・毘舎闍《びしゃじゃ》・吉蔗《きつしゃ》・富単那《ふたんな》・韋陀羅《いだら》のような人を悩ます悪鬼《あっき》どもにしましても、とり憑く手がかりがないようにしてあげましょう。

三八三―一〇―上

その人が、もしくは立ちながら、もしくは歩きながらでもこの経を読誦《どくじゅ》しているならば、わたくしは六牙《げ》の白象《びゃくぞう》に乗って、大菩薩衆と共にその場所に現れ、その人の修行《しゅぎょう》に感謝し、修行がりっぱに行われるように守り、その心を安らかにしてあげましょう。それもひとえに法華経の教えに感謝するためでございます。

ある人が静かに坐って、じっとこの教えについて思いを凝《こ》らしている時も、わたくしは白象に乗ってその人の前に現れましょう。もしその人が、法華経の一句または一偈《げ》を忘れてしまうようなことがあれば、わたくしはそれを教えてあげ、共に読誦して、その真意に通達《つうだつ》するようにしてあげましょう。

三八四—三—下
法華経の教えを受持し、読誦するものは、わたくしを思い出しさえすれば正しい道を発見できますので、大いに喜びを感じて、なおいっそう精進《しょうじん》に励むことでございましょう。わたくしを思い浮かべることによって、常に心が乱れなくなり、そして、あらゆる善をすすめ悪をとどめる力を得ましょう。そして、その影響が広く周囲のものに及び、次から次へと限りなく旋《めぐ》っていき、いつしか非常に多くの人を感化することでございましょう。また、仏さまの教えを自由自在な方便《ほうべん》をもって説く力をも、身につけることでございましょう。

三八四—七—上
「世尊。もしずっと後の時代の濁悪世《じょくあくせ》の中で、もし、この教えを心から求め、受持し、読誦し、書写《しょしゃ》し、だんだんに修行の道に深く入っていこうと思うならば、三七《さんしち》日のあいだ一心に精進しなければならないと存じます。その三七日の精進の日が終わった時に、わたくしは六牙の白象に乗り、多くの菩薩たちに囲まれながら、一切衆生が喜んで見るようなすがたとなって現れて、法を説き、信仰を次第次第に深めてあげましょう。

三八四―一二―上　わたくしはまた、その人びとに総持《そうじ》真言《しんごん》を与えましょう。その総持真言によって、人間以外の魔物に道心《どうしん》を破られることもなければ、異性によって惑わされることもありますまい。わたくし自身もまた、常にその人びとを守護いたしましょう。つきましては、どうぞ世尊、わたくしがその総持真言を説くことをお許しくださいませ」

そこで普賢菩薩は、仏さまのおん前で次の総持真言を唱えました。

三八五―四―上　我見をなくし、小我《しょうが》を除き、我《が》方便を去れば、平和であろう。（大我は）心も柔《じゅう》軟《なん》に、行いも柔軟に、円滑にするであろう。仏陀《ぶつだ》を観ずれば、一切の総持を旋らし、一切の言行《げんこう》を変えず、それらは人から人へと次々に及ぼしていくであろう。僧伽《そうぎゃ》（サンガ）の潰滅《かいめつ》を試練し、僧伽の非を除き、無数の僧伽の執着《しゅうちゃく》を去れば、三世《さんぜ》に無限であろう。一切の僧伽が現象を超越《ちょうえつ》し、一切の諸法を学び、一切衆生の声を悟《さと》れば、あたかも獅子《しし》が遊び戯《たわむ》れるがごとく自由自在、恐れるところがないであろう。

「世尊。大乗《だいじょう》の教えを実践し、世に広め、人を救おうとしている人が、もしこの陀《だ》羅尼《らに》を耳にすることがありましたならば、それこそ普賢の神力《じんりき》に守られているゆえと知るべきでございましょう。またもし、世界中に広め行われるべきこの法華経の教えを受持する者がありましたならば、それも普賢の神力のゆえであると思わなければなりません。

またもし、この教えを受持し、読誦し、正しく記憶し、その内容をよく理解し、そして教えのとおり修行する者がありましたならば、その人は普賢と同じ行《ぎょう》を行っている者と知らなければなりません。その人は、きっと前世《ぜんせ》から数多くの諸仏に仕えて、もろもろの善根《ぜんこん》を積んだ人でございましょう。こういう人は、如来のみ手で頭をなでていただくに値《あたい》する人と言えましょう。

三八六─二─下
もし、この経をただ書写しただけだとしても、その人がこの世の寿命《じゅみょう》を終わった時、忉利天《とうりてん》に生まれ変わることができましょう。そこでは、多くの天女《てんにょ》が美しい音楽を奏しながら迎えてくれることでしょう。そして、七宝《しっぽう》の冠《かんむり》をつけ、官女たちにかしずかれながら、安楽な暮らしを送るでしょう。

ましてや、この教えを受持し、読誦し、正しく記憶し、その意義を理解し、教えのとおり修行する人は、はるかに大きな功徳を得るでありましょう。もしある人が、この教えを受持し、読誦し、その意義を理解したならば、その人がこの世の寿命を終わろうとする瞬間、千の仏さまがみ手をさし伸ばされ、死を恐れることもなく、あるいは地獄《じごく》・修羅《しゅら》・餓鬼《がき》・畜生《ちくしょう》の悪道《あくどう》に堕《お》ちることのないようにしてくださるでしょう。そして、兜率天上《とそつてんじょう》の弥勒菩薩《みろくぼさつ》のそば近くに生まれ変わることができましょう。

弥勒菩薩は、仏さまと同じような三十二の貴相を具《そな》え、兜率天において大菩薩衆に取り囲まれ、無数の天女や家来《けらい》にかしずかれながら法を説いておられますが、法華経を受持・読誦し、その意味を理解した人は、そういう世界に生まれ変わるという大きな功徳や、利益《りやく》を受けるでありましょう。

三八六―一〇―中　こういうわけですから、本当に智慧《ちえ》のあるものは、この教えを自らも一心に書き、人にも書くことを勧め、受持し、読誦し、正しく記憶し、教えのとおり修行しなければなりません。

世尊。わたくしは神通力をもってこの教えを守護し、如来のおかくれになりました後にも、世界中にこの教えを説き広めて、絶えることがないようにいたしましょう」

釈迦牟尼仏は普賢菩薩の言葉をお聞きになりますと、満足そうにうなずかれ、次のような賞め言葉をたまわりました。

「よく言いました。普賢よ。あなたはよくこの教えを守り、世に広まることを助け、多くの衆生の幸福をすすめ、利益を与えてくれることと思います。あなたは今までにも、考え及ぶことのできないほどの功徳を成就し、深くかつ大きな慈悲《じひ》の行いをしてきています。はるかな昔から、仏の悟りを得ようという志《こころざし》を起こし、そのためにまず仏の教えを守る自在の力を得たいという願《がん》を立てて、この経を守護しています。わたしは、仏の神通力をもって、普賢菩薩と同じ心を持ち、同じ行をなす者を守護してあげましょう。

三八七―六―中

普賢よ。もし、この法華経の教えを受持し、読誦し、正しく記憶し、繰り返し習い、あるいは書き写す者があったならば、その人はすなわち釈迦牟尼仏を見る人であります。そして、釈迦牟尼仏自身の口から、直接に説法を聞く実感を覚えるでありましょう。その人はとりもなおさず釈迦牟尼仏を供養《くよう》する人であります。その人は、仏から『善哉《ぜんざい》、善哉』と賞められる人であります。また、その人は釈迦牟尼仏の手によって頭をなでられ、心からの信頼を受ける人であります。またその人は、常に釈迦牟尼仏の衣によって覆《おお》われている者と知らなければなりません。

三八七―二―下
このような人は、世間の通俗的な楽しみを貪《むさぼ》ったり、それにとらわれたりすることがありますまい。仏教以外の教えにはまりこんでしまうこともなく、遊びの文学に心を奪《うば》われることもないでしょう。また、自分から進んで、豚・羊・雞《にわとり》・犬を売って生計を立てている人や、猟師や、女色《じょしょく》に関係ある職業の人に親しみ近づくことがないでしょう。

また、この人は心に飾りけがなく、素直で、ひとりでに真理（妙法《みょうほう》）に合った生き方をするでしょう。また、ものの考え方が正しく、常に真理に一致しているでしょう。しかも、自らの徳をもっておおぜいの人を幸せにする力を持つことでありましょう。

この人は、貪《とん》（あくことを知らぬ欲張り）・瞋《じん》（小我にもとづく怒り）・痴《ち》（目先しか見えぬ愚かさ）という、人間をそこなう三つの大毒に悩まされることがありますまい。また、嫉妬や、自我を依りどころとする慢心や、徳がないのにあると思う慢心や、悟りを得てもいないのに得たように思う慢心に、精神を毒されることもありますまい。また、この人は、世間的な欲が少なく、満足することを知り、普賢菩薩のように法華経の教えを徹底的に行ずるでありましょう。

普賢よ。[三八八―四―下]もし如来の滅後の、後の五百歳の世に、法華経の教えを受持し、読誦する者を見たならば、次のように思っていいでしょう。――この人は長く経たぬうちに、最高の悟りを求めて修行する場所に行き、もろもろの魔の大軍をうち破って、仏の智慧を得るであろう。そして、その道場から立ちいでるや、盛んに教えを説き広めるであろう。その法の進軍のありさまは、あたかも車の輪がめぐりめぐってとどまるところを知らぬがごとく、太鼓《たいこ》やほら貝のひびきが野山に鳴りわたるがごとく、大雲から降る雨が地上のあらゆる草木を潤《うるお》すがごとくであろう。そうして、この人は、天上界《てんじょうかい》・人間界《にんげんかい》のもろもろの大衆の中の最高の座に坐って、多くの人びとの尊敬を受けるであろう――と。

普賢よ。[三八八―八―下]後の世においてこの教えを受持し、読誦する者は、衣服・寝具・飲食物といったような、日常生活に必要な物資に対して貪欲《とんよく》や執着を持つことがありますまい。その人の願いとするところは、ただただ精神的な解脱《げだつ》でありますが、その願いは必ず現世《げんぜ》においてかなえられるでありましょう。

三八八—一〇—下 もし仮に、法華経を信じ行ずる人に対して、『お前は狂人ではないのか。そんなむだなことをして、何にも得るところはないだろう』などと、軽蔑《けんべつ》したり、そしったりする者があったら、その者はなんど生まれ変わっても、盲目の身に生まれるでありましょう。反対に、もし法華経を信じ行ずる人を供養し、賛嘆する人は、まさにこの世において現実に善い報《むく》いを得るでありましょう。もしまた、この教えを受持する人を見て、その人のまちがいを探し出して世間に言いふらすようなことをしたならば、事実の有無を問わず、その人は現世に白癩《びやくらい》という病《やまい》を得るでありましょう。もし、法華経を信じ行ずるものを嘲笑《ちようしよう》するようなことがあったならば、いくど生まれ変わっても、醜《みにく》い姿やもろもろの重い病気のある身と生まれるでありましょう。

三八九—五—下 こういうわけですから、普賢よ。もしこの教えを受持する人がいたならば、遠くにその姿を見ても、立ち上がってそれを迎えなければなりません。こうして、仏を敬《うやま》うのと同じように敬わなければならないのです」

この普賢菩薩勧発品《ふげんぼさつかんぼっぽん》の説法をうかがった無数の菩薩たちは、百千万億人の人びとに展転《てんでん》する、善をすすめ悪をとどめる大きな教化《きょうけ》の力を得、また、無数の菩薩たちが、普賢菩薩と同じような、徹底した実践力を身に具えることができました。

このようにして、仏さまが、法華経の教えのすべてを説き終えられますと、普賢菩薩をはじめとするもろもろの菩薩や、舎利弗《しゃりほつ》をはじめとするもろもろの声聞《しょうもん》、及びこの法会《ほうえ》に参集していたもろもろの天界の住人・鬼神・人間・人間以外のあらゆる生あるものたちは、有難い思いに全身をふくらませ、また仏さまのお言葉の一つひとつをしっかりと胸に刻みつけながら、世尊を伏し拝んで、その場を去って行ったのでありました。

妙法蓮華経　完

仏説観普賢菩薩行法経

わたしは、次のようなことを、確かに聞いております。

仏さまが毘舎離国《びしゃりこく》の大林精舎《だいりんしょうじゃ》におとどまりになっておられた時、重閣講堂《じゅうかくこうどう》において、多くの比丘《びく》たちに対し、「わたしは、あと三か月たった後、この世を去るであろう」とおおせられました。即座に座から立ち上がった阿難尊者《あなんそんじゃ》は、居ずまいをきちんと正すと、手を合わせながら仏さまの周りを三たび回って礼拝《らいはい》し、そのおん前にひざまずき、合掌《がっしょう》し、じっと如来《にょらい》のお顔を仰《あお》ぎ見て、まじろぎもせずにおりました。長老の摩訶迦葉《まかかしょう》も、弥勒菩薩《みろくぼさつ》も、やはり座から立ち、合掌して礼拝し、じっと尊顔を仰ぎ見ているのでありました。

やがて、三人の大仏弟子《だいぶつでし》は、口を揃えて申し上げるのでした。

「世尊《せそん》。世尊がおかくれになりました後、衆生《しゅじょう》はどんな道によって菩薩の心を起こし、すべてのものが平等に救われる正しい大乗《だいじょう》の教えを修行《しゅぎょう》し、仏さまと一体となれる境界《きょうがい》をしっかりと考えていくことができましょうか。どういたしましたら、無上の仏の智慧《ちえ》を得たいという心を持ち続けることができましょうか。どういたしましたら、煩悩《ぼんのう》をすっかり払い去ることなく、五欲を追う現実世界から離れることなく、しかも心身を清め、多くの罪を除き滅することができましょうか。どういたしましたら、親が生んでくれたそのままの目で、五欲はそのまま持ちながら、しかも煩悩に迷わされずにものごとの真実を見ることができるものでございましょうか」

仏さまは、阿難に向かっておおせになりました。

「では、そのことについて説《と》き聞かせますから、しっかりと聞くのですよ。しっかりと聞いて、よくよく考えるのですよ。わたしはずっと以前から、霊鷲山《りょうじゅせん》およびその他の至る所で、ただ一つの真実の道をさまざまな説き方で説いてきましたが、今ここであらためて、最高の大乗の教えを修行したいと願う未来世《みらいせ》の多くの衆生たちのために、また普賢菩薩《ふげんぼさつ》の行を学び、普賢菩薩と同じような行《ぎょう》を行いたいと願う人たちのために、心をどう持《たも》ち、どう清めるかという方法を説いて聞かせましょう。

三九二—六—上

普賢菩薩のことをよく知っている人も、知らない人も、これだけのことを実践すれば必ず数々の罪業を清めることができるという道を、みんなのために、今からいろいろに説き分けて聞かせることにしましょう。

阿難よ。普賢菩薩は、はるか東のほうにある浄妙国《じょうみょうこく》という所に生まれた人です。その国土のありさまについては、華厳経《けごんきょう》の中で詳しく説明しましたから、ここではその要点だけを述べることにしましょう。

三九二—九—上 阿難よ。出家修行者にせよ、在家修行者《ざいけしゆぎようしや》にせよ、人間以外の鬼神《きじん》の類にせよ、あらゆる衆生の中で大乗の教えを習おうとする者、それを修行しようとする者、大乗の教えによって自らも救われ衆生をも救おうという心を起こした者、普賢菩薩その人の行を手本としたい者、多宝仏《たほうぶつ》の塔を拝したいと願う者、久遠実成《くおんじつじよう》の本仏釈迦牟尼《ほんぶつしやかむに》如来《にょらい》およびその分身《ふんじん》の諸仏《しよぶつ》の救いを実感したいと欲する者、眼《げん》・耳《に》・鼻《び》・舌《ぜつ》・身《しん》・意《い》の六根《ろっこん》を清めたいと思う者は、次に述べる心の持ち方・考え方を、しっかり学ばなければなりません。

三九三—一—上 この観法の功徳《くどく》は、眼《まなこ》のさまざまな曇《くもり》が次第に除かれて、この上もなく美しく尊《とうと》いすがたを見ることができるようになることです。たとえ三昧《さんまい》に入らなくても、仏の教えをしっかりと受持《じゆじ》・読誦《どくじゆ》するだけで、心はもっぱらその教えを身につけることに集中するようになりますから、そのようにして大乗の教えを思い続けて三七《さんしち》二十一日に至れば、その人はまさしく普賢菩薩の徳のすがたを見ることができるようになるでしょう。

三九三—三—下 業の障りの深い者は七七《しちしち》四十九日の後、もっと深い者は一生かかって、もっと深い者は次の世に生まれ変わってから、もっと深い者は三度めの生を享《う》けてから、その境地に達することができましょう。このように、その人の心の持ち方や身になした行為によって受ける報《むく》いも違いますから、一様には言えません。

三九二―七―上

普賢菩薩はからだの大きさも無限であり、声の大きさも無限であり、そのすがた形も無限であります。しかし、この娑婆《しゃば》世《せ》界《かい》に来て人間を救おうとする目的のために、身を縮め、人間と比較できるぐらいの形となって現れるのです。

娑婆世界の人は貪《とん》・瞋《じん》・痴《ち》の迷いが深いのですから、普賢菩薩は、その智慧力をもって人間のすがたとなり、白象に乗って出現されるのです。その象には六本の牙《きば》があり、七本の足で地上にしっかりと立っています。七本の足もとには、七つの蓮《れん》華《げ》が生じています。

その象の色は純白であります。白の中でも、最もすぐれた白であります。水晶《すいしょう》のような雪をいただいているヒマラヤの色も、これには及びません。象の身の長さは四百五十由旬《ゆじゅん》、高さは四百由旬という巨大なものです。六本の牙の端《はし》に、六つの水浴用の池があります。それぞれの池の中に十四の蓮華が生じ、それは池いっぱいに咲き広がっています。

その花が一面に咲いているありさまは、天上界《てんじょうかい》に咲くというパーリジャータカ樹の花も、かくやと思われるばかりであります。そして、各々の花の上に一人の女人《にょにん》がおります。その顔は美しいバラ色で、天女にもまさるほど光り輝いています。見ていると、その手の中に五つの箜篌《くうごう》という楽器がひとりでに現れ、それぞれの箜篌にまた五百の楽器が付随しています。また、小鴨《こがも》や、雁《がん》や、鴛鴦《おしどり》など色とりどりの水鳥たちが、花や葉の間から生じて遊び戯《たわむ》れています。また、象の鼻にも花が生じています。茎《くき》は赤い真珠《しんじゅ》のような色で、花は金色《こんじき》ですが、ふくらみかけた蕾《つぼみ》で、まだ開いてはいません。

三九四―六―上

このように、普賢菩薩の徳のはたらきが目に見えてきたら、さらに懺悔《さんげ》し、一心を込めて、ものごとを明らかに見つめ、大乗の教えに深く思いを凝《こ》らし、休んだり廃《や》めたりすることなくそれを続けていけば、その花はついに開いてきて、金色の光を放つようになるのです。その花のがくや花びらは赤い甄叔迦宝《けんしゅくかほう》や清らかな妙梵摩《みょうぼんま》尼《に》などの宝石でできており、蘂《しべ》は金剛石でできています。化仏《けぶつ》がその蓮の華の中心に坐しておられ、多くの菩薩が蘂の上に坐っています。

化仏の眉間《みけん》から金色の光が出て、それが象の鼻の中へ入ってゆきます。それは、赤い蓮の華のような色になって鼻から出、今度は目の中へ入り、そこから出ると、耳の中へ入り、耳から出て、象の頭の頂上を照らしたかと思うと、それがみるみる凝固《ぎょうこ》して黄金《おうごん》の台となるのです。

象の頭の上に、三人の化人《けにん》がいます。一人は金輪《こんりん》を持ち、一人は摩尼珠《まにしゅ》を持ち、一人は金剛杵《こんごうしょ》をにぎっています。その金剛杵を上げて象に示しますと、象はすぐ歩き出します。その足は地を踏まず、地上七尺の空中を自由自在に歩くのです。しかも、地上に足裏《あしうら》の印文《いんもん》がくっきりとしるされます。その印文には、仏の足裏にある多くの法輪《ほうりん》の模様がすっかり具《そな》わっています。

それぞれの法輪の中に、一輪ずつ大きな蓮の華が生じ、それぞれの華の上に、小さな象の姿が現出します。その象にも七本の足があり、大象の後について歩きます。足を上げ、下ろすたびに、また七千の小さな象が生まれ、それらを引き連れて大象に随従《ずいじゅう》していくのです。

赤い蓮の華のような色をした象の鼻の上に、化仏がおいでになって、眉間から光を放っておられます。その光は金色で、前と同じように、象の鼻の中に入り、そこから出て目の中に入り、目から出ると今度は耳に入り、耳から出ると頭の上に至ります。それからだんだん上《のぼ》って象の背中に行きつくと、たちまち金の鞍《くら》と変わります。その鞍はさまざまな宝でびっしり飾《かざ》られています。鞍の四面には七宝《しっぽう》の柱が立っており、多くの宝で美々《びび》しく飾られ、それが一つの台を形づくっているのです。台の中には一本の美しい蓮華の蘂があり、それは無数の宝でできています。そして、その蓮華の台は大きな摩尼珠なのであります。

そこに一人の菩薩がゆったりと坐っています。名を普賢と言います。身の色は白玉のようで、さまざまな美しい色の光を放っています。頭の頂《いただき》にも、そのような円光《えんこう》が輝いています。全身からは金色の光が無数に放射され、その光の先端にそれぞれ化仏がおられます。化仏の周りには無数の菩薩がお仕えしています。

その象は、大きな美しい蓮の華をひらひらと降らせながら、静かにゆったりと歩んで、仏の教えを修行している者の前にやって来るでしょう。そして、象が口を開くと、牙の上の池にいる美しい女たちが音楽を奏します。その音《ね》はえも言われず美しく、すべての衆生が平等に仏になれるという、ただ一つの真実の教えを賞めたたえるのであります。

三九六―六―中

そういう尊い光景を見た修行者は、大いなる喜びを覚え、普賢菩薩を心から礼拝するでしょう。そして、さらに奥深い大乗の経典《きょうでん》を読誦し、普《あまね》く十方の諸仏を拝み、多宝仏塔および釈迦牟尼仏を礼拝し、普賢菩薩をはじめもろもろの大菩薩をも拝んで、次のような誓願を立てるでしょう。『もし、わたくしが前世《ぜんせ》に多くの善業《ぜんごう》を積んでいるのでしたら、まさしく普賢菩薩を見たてまつることができるはずです。どうぞ普賢菩薩さま、わたくしにおすがたをまざまざとお見せくださいませ』と。

この誓願を立てたら、昼夜六回にわたって十方の仏を礼拝し、懺悔の法を行じ、大乗経を読み、誦《じゅ》し、その意義を思いめぐらし、その事《じ》を念じ、その教えを持《たも》つ者を敬《うやま》って感謝のまごころをささげ、一切の人を見る時は仏の心となって見、すべての衆生に対しては父母のような慈悲《じひ》をもって当たらなければなりません。

このような念がしっかり深まってきますと、普賢菩薩は、仏の偉大な人相と同じように、眉間の白い渦毛《うずげ》から光明《こうみょう》を放ちはじめるでありましょう。その時の普賢菩薩の様子は、紫色《むらさきいろ》を帯びた黄金の山のごとく清らかで厳《いかめ》しく、その正しく整《ととの》ったすがたは、えも言われず美しくて、仏の三十二相をことごとく具えているでありましょう。

普賢菩薩の全身からも大光明が放たれ、その光明が大象を照らしますと、大象もたちまち金色に変わるでしょう。その他の一切の化《け》象《ぞう》も金色となり、もろもろの化《け》菩薩《ぼさつ》もまた金色となりましょう。その金色の光が、東方の果てしない世界を照らし出しますと、そこも同じく金色に変わりましょう。南方・西方・北方の世界も、東南方・西南方・東北方・西北方の世界も、上方・下方の世界も、みな同じように金色に変わってしまいましょう。

　そうなりますと、十方の世界におのおの一人の菩薩があって、六牙《げ》の白象に乗っているのが見えてくるでしょう。その姿は普賢菩薩と同じで、少しも違う所はないでしょう。また、無限の十方世界に充ち満ちている化象をも、普賢菩薩のすぐれた徳《とく》のはたらきによって、すべての持経者《じきょうしゃ》が見ることができるでしょう。

三九七―二―上
　このようにして真の人生指導者たる菩薩たちを見ることのできた修行者は、身にも心にも大いなる喜びを覚え、その菩薩たちに礼を尽くして、『大慈大悲のお方。どうぞ、わたくしを憐れとおぼしめして、教え導きくださいませ』とお願いするのです。そうしますと、菩薩たちは、必ずただ一つの純粋な大乗の法を説き聞かせ、しかも、さまざまな言葉をもって修行者を賞めたたえることでありましょう。このような境地を、普賢菩薩を観《かん》ずる第一段階の境地と名づけるのです。

三九八―四―上

このような境界に達した人が、なおも昼となく夜となく大乗の教えを念じておれば、眠りの中においても、普賢菩薩が自分のために法を説いてくださるのを見ることができましょう。それは、現実と少しも変わりはなく、普賢菩薩が心を安んずる慰《なぐさ》めの言葉をかけ、また、教えのここの所を忘れてはいないか、ここの所を考え違いをしてはいないかというような注意まで、与えてくださるでしょう。

修行者は、このようにして、普賢菩薩が深い教えを説かれるのを昼夜に聞き、その意味を理解し、しっかり記憶して忘れぬようになりましょう。そして、日々にそれを繰り返していけば、心は次第に利《さと》くなり、真実がすっかり分かってくるようになるでしょう。

さらに普賢菩薩の徳は、その修行者を、十方の諸仏の境地に思い至らせるよう導くでありましょう。そして、普賢菩薩の教えに従って、何ごとをも正しい心で、正しく考えるようになり、次第次第に心眼《しんがん》をもって東方の仏の、黄金の色に輝く、清らかで、えも言われず美しいおすがたを拝することができるようになるでしょう。一人の仏を見たてまつることができたら、またもう一人の仏を見たてまつることができましょう。このようにして次第に進み、東方の一切の諸仏を見たてまつるようになりましょう。その人は、もはや非常に透徹《とうてつ》した心を持っていますので、ついには、普く十方のあらゆる諸仏を見たてまつることでありましょう。

三九九―一―中

このように、十方の諸仏を見たてまつることができるようになれば、心の喜びはますます深まります。しかし、それでもさらに、次のような反省をしなければなりません。――自分は大乗の教えによって、菩薩とはどんなに尊い存在であるかを知ることができた。そして、菩薩の行を学び、それを実践することによって、仏さまの説かれるただ一つの真理が分かり、もろもろの仏さまの存在も見ることができるようになった。しかし、その認識は、まだまだはっきりしたものではない。目を閉じて静かに精神を集中すれば、確かにそれを自覚することができるけれども、目を開いて現実の世界を見わたすと、もう仏さまのおすがたも、その説かれる法も、どこか遠くへ霞《かす》んでしまう。まだまだ自分の心の修行は不十分なのだ――と。

そのような反省をしたら、全身全霊《ぜんしんぜんれい》を投げ出して、普く十方の仏を拝み、うやうやしくひざまずいて一心に合掌し、次のように唱えなさい。『諸仏世尊は、十力・無畏・(97)十八不共《じゅうはちふぐ》法《ほう》・大慈・大悲・(98)三念処《さんねんじょ》という最高の徳をすべてお具えになり、最上の尊いおすがたで、常に世間にいらっしゃるはずです。それなのに、わたくしはどんな罪があって、現実世界に仏さまのおすがたを見たてまつることができないのでしょうか。常に仏さまと共にあるという自覚をはっきりと得ることができないのでしょうか』と。

このように唱えたら、またさらに懺悔を繰り返すのです。その懺悔によって心がますます洗い清められれば、ふたたび普賢菩薩が現実に現れてきて、もはや行住坐《ぎょうじゅうざ》臥《が》にその人の側《そば》を離れないようになりましょう。夢の中でさえその教えを聞くことができ、目がさめてからも、法を聞きえた喜びを感じ続けるようになりましょう。

このようにして三七日を過ぎますと、善を固く持《たも》って失わず、悪を抑えて起こさせない力を得、さらに進んで、その力を他へ及ぼす感化力《かんかりょく》が身についてきます。そのために、諸仏や諸菩薩の説かれるこの上ない教えをしっかりと心にとどめて、忘れるようなことがなくなるでしょう。

四〇〇—一一中 そうなれば、夢の中にも過去の世の七仏《しちぶつ》のおすがたを見たてまつるようになりますが、その中で釈迦牟尼仏のみが、その人のために法を説かれるでありましょう。その他の六仏は、釈迦牟尼仏の説かれた大乗の教えを口々に賞めたたえられるでありましょう。

四〇〇―三―中
夢の中に諸仏を見たてまつることができた修行者は、さらに深い喜びを覚え、さらに普く十方の諸仏をふし拝まずにはおられなくなるでしょう。そうしますと、普賢菩薩はその人の前にとどまって、今まで仏を見たてまつることができなかったのは宿世《しゅくせ》の業縁《ごうえん》によるものであることを説いて、一切の心身の汚《けが》れや罪悪を明るみに出すように勧めるでしょう。ですから、もろもろの仏に向かいたてまつって、口に出してその罪を告白するように勧告しなければなりません。

四〇〇―七―上
その懺悔が終わると、仏がいつも自分の傍におられるという自覚が次第次第に心中に確立し、安定するようになりましょう。そして、すべてのものごとの実相《じっそう》を鏡のごとく映し出す阿閦仏《あしゅくぶつ》の智慧と境地がはっきり分かってくるでしょう。すると、おのずから十方の諸仏の境地もはっきり分かってくるでしょう。そうなりますと、また夢の中で、象の頭の上に非常に強い金剛力士《こんごうりきし》がいて、金剛杵を六根に向かってつきつけているのを見るでしょう。そこへ普賢菩薩が現れて、修行者のために六根を清浄《しょうじょう》にする懺悔の法を説かれるでしょう。

四〇〇―一二―上
このようにして、一日から三七日まで怠《おこた》りなく懺悔の法を行えば、常に仏さまと共にいるのだという確信の力のゆえに、また心身を荘厳《しょうごん》する普賢菩薩の教えのゆえに、次第に六根の障《さわ》りが除かれて、すべてのものごとを、ありのままにとらえられるようになるでしょう。また、人びとのために広く教えを説けば、それはおのずから妙法蓮華経と一致する至高の法にほかならないでしょう。

四〇一―三―上
このように六根が清浄となれば、心身は清らかな喜びに満ちて、悪心《あくしん》などはついぞ起こらなくなってしまいましょう。心はこの大乗の教え一本にうちこまれて、まじりけがなくなり、そして心がどう動いても、それがひとりでに教えにかなうようになりましょう。

その人の、徳によって周囲を感化する力はますます大きなものになり、また、百千万億もの仏と共にあるという自覚はいよいよ強いものになりましょう。そのもろもろの仏は、右の手をさし伸べて修行者の頭をなでられ、次のようにおおせられるでありましょう。

『そなたは、まことにりっぱです。大乗の教えを身に行い、あらゆる美徳を具えようと志《こころざ》し、世の多くの人びとを救うことを深く念じています。われら諸仏も皆、むかし菩提心《ぼだいしん》を起こした時は、そなたと同様でありました。今の心をしっかり守って、失ってはなりません。われらも、長い前世に大乗の法を実践したればこそ、現在のようにすべてのものごとの実相を見極める透徹した智慧を得ることができたのです。そなたも、まさに修行に励《はげ》んで、怠ってはなりません。

四〇一―九―下 この大乗の教えは、諸仏が最も大切な宝とされているものであります。時間的には過去・現在・未来の三世《さんぜ》を通じ、空間的には十方の世界にわたって、あらゆる仏の教えの眼目となるものであります。十方三世の諸仏は、この教えからこそ生まれるのであります。

四〇一―二―上 この教えを持《たも》つ者は、すなわち仏の身を自分の身とする者であり、仏の身代わりとして仏の業《わざ》を行う者であります。この人は、まさに諸仏の使いであり、諸仏世尊によってしっかり守護されている者であり、諸仏如来の真実の法の子であります。そなたは、怠らず大乗の教えを行じて、伸び広がる法の種《たね》を断ち切らぬようにしなければなりません。今こそ、そなたは、東方の諸仏をはっきりと観じなければなりません』と。

仏のみ声が、このように心の中にひびきわたるのを聞くと、修行者は東方のあらゆる仏の世界を目の前に見ることができます。そこは、地面の平らかなことは掌《てのひら》の上のようであり、丘も、山も、ジャングルもなく、地は瑠璃《るり》でできており、黄金で境界線がつけられています。東方の世界だけでなく、十方のあらゆる世界のそのような美しさが、目に見えてくるのです。

それらの世界に、宝の木があるのを見ることができましょう。五千由旬もある、高く美しい木です。その木からは、常に貴重な金や銀が流れ出しており、七宝で美しく飾られています。木の下には、自然に生じた美しい宝座《ほうざ》があります。高さ二千由旬という壮大なもので、その座の上からは美しい光明が放たれているでしょう。このような宝樹《ほうじゅ》と宝座が無数にあり、それぞれの宝座から美しい光明が放たれているでしょう。

その美しい木々と宝座を見ていると、それぞれの宝座の上に無数の白象がいるのが見えてくるでしょう。そして、象の上には、みな普賢菩薩が乗っておられます。それを見たら、すべての普賢菩薩を礼拝して──わたしにどんな過《あやま》ちがあるために宝地《ほうじ》・宝座・宝樹だけを見て、諸仏のおすがたを見ることができないのだろうか──と深く反省し、その罪を懺悔するのです。

そうしますと、たちまちその一つひとつの宝座の上に、確かに仏のおられるのが見えてくるでしょう。えも言われぬ美しいおすがたでお坐りになっておられます。

それを拝して、心に深い喜びを覚えたならば、またさらに大乗の教えを読誦し、実践しなければいられなくなるでしょう。その大乗の教えのおかげで、その人は、次のような賛嘆の言葉が、どこからともなくひびいてくるのを聞くことができましょう。

『よろしい。たいへんりっぱです。そなたは大乗の教えを行じた功徳によって、よく諸仏を見たてまつることができました』

しかし、その声は、続いて次のような言葉を投げかけてくるでしょう。

『今、諸仏世尊を見たてまつることはできたけれども、釈迦牟尼仏・分身の諸仏および多宝仏塔は、まだ拝することができていない……』と。

四〇三―七―上
心の中にこのような反省が起こったら、また一心に大乗の教えを学び、修行するのです。中道の正しいあり方と、仏と衆生の仏性《ぶっしょう》の平等を説く大乗の教えを、けんめいに誦習《じゅしゅう》していくうちに、釈迦牟尼仏が霊鷲山において無数の大衆に法華経《ほけきょう》をお説きになり、大乗の根本義である諸法実相《しょほうじっそう》について、述べられているのを見ることができましょう。

その様子を見たら、またさらに懺悔し、釈迦牟尼如来をもっと身近に見たてまつりたいと、渇した者が水を求めるように熱望し、ひざまずいて合掌し、次のように念じなさい。『世間で最高のお方、釈迦牟尼如来は、常にこの世にいらっしゃるはずです。どうか、わたくしを憐れとおぼしめし、おすがたをお見せになってくださいませ』と。

こう念じて、霊鷲山を心に思い浮かべますと、七宝で飾られたように尊厳な説法《せっぽう》の会場に、無数の出家修行者や一般大衆がいならんでいます。美しい木々に取り囲まれた広場は、平らかで、きちんとしたたたずまいを見せています。正面にりっぱな説法座が設けられ、その上に釈迦牟尼仏がお坐りになり、眉間から光明を放っておられます。

四〇四—三—上

その光は宇宙のあらゆる世界をすみからすみまで照らし、それらの世界に染《し》みとおってゆきます。そして、その光が到達した所には、釈迦牟尼仏の分身の諸仏がまるで雲のように集まり、法華経と同じ妙法《みょうほう》（至高の真理）を説いておられるのです。

すべての分身の諸仏は、紫を帯びた金色の、無限に巨大な身を持たれ、りっぱな法座にお坐りになっておられます。無数の諸大菩薩を従えておられますが、その菩薩たちの行いは、すべて普賢菩薩と同様であります。

十方世界の無数の諸仏およびそれに従う諸菩薩は、すべて同じようなすがたに拝されます。それらの諸仏・諸菩薩が雲のごとくに集まって、いっせいに釈迦牟尼仏を見たてまつると、たちまち釈迦牟尼仏の全身から、パッと金色の光が放射されます。その一本一本の光の中に、百億の化仏のおすがたが見えるのです。と見ると、もろもろの分身の仏も、眉間の白毫相《びやくごうそう》から光を放たれ、その光が釈迦牟尼仏の頭頂《ずちよう》に流れ入ります。すると、分身の諸仏も全身から金色の光を放射され、その一本一本の光の中に無数の化仏がおられるのが見えてくるのです。

その時、普賢菩薩もまた眉間の白毫相から光を放って、それを修行者の心にそそぎ入れます。すると、修行者は、自分が過去世《かこせ》において無数の仏のみもとで大乗の教えを学び、受持したことを思い出し、自分の過去世の身をはっきりと見ることができましょう。いわゆる宿命通《しゆくみようつう》と同じ境地に達したわけであります。このようにして、世界が明るく開けるような大きな悟《さと》りを得ることができましょう。と同時に、すべての悪をおしとどめすべての善を持《たも》って失わない多くの力を得、それを多数の人びとにまで及ぼす教化力《きようけりよく》をも、身につけるようになるでしょう。

その人は、三昧に入っている時ばかりでなく、ふだんの時でも、一切の分身の諸仏が宝樹のもとの師子座《ししざ》に坐られて、法をお説きになるありさまを見たてまつるでしょう。また、美しい瑠璃の地に無数の蓮の華の咲いている世界が、下方《かほう》の空中から湧《わ》き出てくるのを見るでしょう。そして、それぞれの華の間には、無数の菩薩が静かに坐っておられるでしょう。また、そのおおぜいの中にあって、普賢菩薩の分身の菩薩が、大乗の教えをたたえつつ説き広めているのを見るでしょう。そして、もろもろの菩薩は、ともどもに次のような教えを説いて、修行者の六根をいやが上にも清めてくださるでありましょう。

四〇五―九―上 ある菩薩は、『もっと仏を念じなさい』と命ずるでしょう。ある菩薩は『もっと法を念じなさい』と告げるでしょう。ある菩薩は『もっと信仰者の団結と和合を念じなさい』と勧めるでしょう。ある菩薩は『もっと戒律《かいりつ》を守ることに意を用いなさい』と教えるでしょう。ある菩薩は『もっと布施《ふせ》を心がけなさい』と説くでしょう。ある菩薩は『もっと煩悩を離れる努力をしなさい』と指導するでしょう。そして、『この六つの教えこそ菩提心を開くものであり、菩薩を生み出す法門《ほうもん》である。そなたは、諸仏のみ前で、今までの至らなかったことを告白し、まごころから懺悔しなければならぬ』と説くことでありましょう。

四〇六―二―上 すると、次のような声が内心からひびいてくるはずです。――自分は長い長い過去世から現在に至るまで、不完全なものの見方をしてきた。そのために、現象として現れるものばかりにとらわれていた。したがって、五官を喜ばせるさまざまなつまらぬものを貪《むさぼ》り、それに執着《しゅうちゃく》していた。その結果、女人の身として生まれ、そしてまた、目の前の現象に迷ったり執着したりすることを繰り返してきた。現象にまどわされて、真実を見る眼《まなこ》がくらまされていたのだ。そのために、ただもう表面の恩愛《おんない》にとらわれてしまっていた。いつも目の前に起こる現象にふり回され、三界《さんがい》をぐるぐるさまよっていたのだ。こうして煩悩に追い回されて心が疲れきっているために、ものごとの実相がまるっきり見えないようになってしまっていた。四〇六―五―下 今、方正な中道の教えを説き、すべての衆生が仏に成ることができることを明らかにされた大乗経典《だいじょうきょうでん》を読むことができた。この経の中に、十方の諸仏は永遠の生命を持つお方であると説いてある。今や、その新しいものの見方が開けてきたのだ。しかし、お前のその新しい見方は、本当に真実に徹《てつ》しているのか。長い間ものの見方を誤《あやま》っていたその傷はずいぶん深いのだから、まだまだ心もとないのではないのか。だから、わが言葉に従って、釈迦牟尼仏をはじめとする諸仏に一心に帰依《きえ》し、今までのものの見方のいたらなさや誤りを、言葉に出して懺悔しなければならない――と。
四〇六―八―下 内心からひびく普賢菩薩のこのような声を聞いたら『諸仏・諸菩薩は、(100)智慧の眼をもって衆生の仏性を平等に見てくださいます。その智慧から流れ出る清らかな教えの水によって、わたくしの迷いを洗い去り、清浄な心と澄みきった眼を持つようにお導きください』と念じなければなりません。普く十方の仏を礼拝し、釈迦牟尼仏および大乗の教えに対して、また次のような懺悔の言葉を説かねばなりません。
四〇六―一二―上『わたくしは、今まで、迷いのゆえにものごとの見方を誤り、ものごとを見るたびに重い罪を重ねてまいりましたので、その罪が心を蔽《おお》い、眼を汚《きたな》く濁《にご》らせ、そのために諸法の実相をまったく見ることができません。願わくは仏さまの大慈悲をもって、このようなわたくしを哀れみ、ご守護を垂《た》れていただきとう存じます。また普賢菩薩は、教えの大船《たいせん》に乗って一切の人びとを悟りの彼岸《ひがん》へ渡らせてくださるお方です。どうぞ、わたくしが過去のものの見方の不善を悔いあらため、積み重ねた悪業の障りを洗い落とそうとする修行に、お力をお添えくださいませ』
こう三度唱え、全身全霊を投げ出して、大乗の教えを正しく思い返し、思い続け、けっして忘れないようにしなさい。これが、眼根《げんこん》の罪を懺悔する方法であります。

眼根の罪を清めるには、諸仏のみ名を称《とな》え、香《こう》を焼《た》き、花を撒《ま》き、大乗の心を起こし、美しい絹《きぬ》の布《きれ》や、旗《はた》や、天蓋《てんがい》などで仏前を荘厳して、感謝のまごころをささげ、そして過去における自分のものの見方の過ちを告白し、その罪を懺悔することです。そうすれば、その人は現世《げんぜ》においても釈迦牟尼仏およびその分身の諸仏と共にあるという自覚を深めることができ、永久に悪道《あくどう》に堕《お》ちることはありません。

この人は、大乗の教えを学ぶことにより、また大乗の教えを実践しようという願いのゆえに、あらゆる善をすすめ悪を抑える陀羅尼《だらに》菩薩の仲間入りをすることができるのです。こういう心でいることを正念《しょうねん》と言い、これに外《はず》れた心を邪念《じゃねん》と言います。そして、このような反省によって、ものの見方の根本をあらためることができたら、その境地を、清められた眼根の最初の境界と名づけます。

四〇七—一一—上

そうして眼根を清めることができても、満足してはなりません。また、さらに大乗経典を読誦し、昼となく夜となく仏さまのみ前にひざまずいて、さらに仏性を磨《みが》き出す懺悔を行じなければなりません。——釈迦牟尼仏および分身の諸仏と共にあるという自覚は得たけれども、それが絶対真実の境地だということがまだ確信できない。やはり自分の眼《め》が濁っているために、それを明らかに見ることができないのだろうか――と、反省するのです。

こうして七日のあいだ一心に懺悔すれば、ついに、多宝仏塔が地から湧《わ》き出るように出現するのを見ることができましょう。釈迦牟尼仏が右のおん手でその塔の扉《とびら》をお開きになりますと、多宝仏が普現色身三昧《ふげんしきしんざんまい》に入っておられるおすがたが拝されます。全身から無数の光明の矢を放たれ、それぞれの光明に無数の化仏がおられるのです。

四〇八―七―中 そこで修行者は、無上の喜びを覚え、仏性をたたえる偈《げ》を唱えながら、その塔の回りをめぐります。七回めぐり終わりますと、多宝如来は大音声《だいおんじょう》を出されて、『法の子よ。そなたはいま真実に大乗の教えを行じ、普賢を手本として、ものの見方の誤りを懺悔しました。そのゆえをもって、わたしはそなたのもとに行って、その悟りの真実であることを証明してあげましょう』とおおせられるのです。また、『釈迦牟尼仏よ。まことに有難う。よく妙法を説き明かし、偉大な教えの雨を降らせて、濁った世の迷いに満ちた衆生を悟らせてくださいました。本当に素晴らしいおはたらきです』と賞めたたえられるのです。

それを終わると、修行者はまた普賢菩薩を念じ、合掌・礼拝して、『大師よ。まだほかに悔いあらためることはないでしょうか。どうぞお教えください』とお願いします。すると普賢菩薩は、次のように教えます。

四〇九―三―上
『そなたは、長い間、耳の過ちを重ね、外からの声に引きずられ、追い回されてきました。快《こころよ》いことを聞けば、それに惑わされて執着を起こし、不快なことを聞けば、さまざまな煩悩をかき立てて、自他を害することになるのです。このように、悪い耳を持てば、必ず悪い報いを得るのです。常に人の言うことを悪く聞くくせがつき、聞いた一つのことから、さまざまな迷いが限りなく増長《ぞうちょう》してゆきます。転倒した心でものごとを聞くために、いろいろな悪道に堕ち、極端な考えや、邪《よこしま》な見解を持つようになり、仏法《ぶっぽう》などは耳に入らなくなってしまうでしょう』と。

普賢菩薩は、あらためて次のように告げます。

四〇九―六―下
『ところが、そなたは今日ようやく無限の功徳を蔵する大乗の教えを受持し、読誦するようになりました。そのため、十方の仏を見たてまつることもでき、多宝仏塔も出現して、そなたの悟りの深まったことを証明してくださいました。ここで、さらに自分の悪や過ちをさらけ出し、もろもろの罪を懺悔しなければなりません』

と。そこで、修行者は、さらに合掌し、地にひれ伏して、次のように願い、かつ懺悔しなければなりません。

『完全無欠の智慧を具えておられる仏さま。わたくしが今、進んでいるこの道が、まちがいなく仏さまのみ心のとおりでありますならば、どうぞそれをお証《あか》しください。四〇九―二―中大乗の教えを学んで、すべての人が平等に仏性をもっていることを悟ってこそ本当の慈悲心が湧いてくるものと、わたくしは信じております。どうぞ、わたくしの心の奥を厳しくごらんになってください。そして、わたくしが懺悔いたしますことを、つぶさにお聞きくださいませ。

わたくしは、遠い過去世から現在の身となりますまで、ものごとを聞くのにもまちがった聞き方をしてまいりました。気持のよいことを聞けば、まるで溶《と》けた膠《にかわ》が草にくっついて離れないように、そのことにとらわれてしまうのです。反対に、不快なことを聞きますと、怒りや憎しみやねたみなど、さまざまな煩悩がムラムラと起こり、冷静な判断力を失って、相手かまわず悪い感情をいだくようになり、その悪感情は次から次へと迷いやとらわれを生じ、とどまることがありません。そして自分の口からも、つい怒声《どせい》や悪口《あっこう》などのよくない声を発し、それによって、ますます自らの精神を苦しめ、疲れさせ、地獄《じごく》・餓鬼《がき》・畜生《ちくしょう》の境界へ陥《おちい》らせてしまうのです。今はじめてその罪を覚《さと》ることができましたので、もろもろの仏さまに告白し、懺悔いたします』と。

こう懺悔しますと、大光明を発しておられる多宝仏のおすがたが、ますますはっきりと拝されるようになるでしょう。その光は金色で、ありとあらゆる世界を照らし出しています。すると、そのありとあらゆる世界に無数の諸仏がおられるのが、目に見えてくるのです。そして、東方の空中から次のような声がひびいてくるのを聞くことができます。『ここに、仏さまがおられます。善徳《ぜんとく》と申し上げる仏さまです。また、その分身の仏さまが無数におられます。すべて、宝樹のもとの説法座に坐禅《ざぜん》を組んでおられるのです』

そうしますと、普現色身三昧に入っておられたその無数の分身の仏さま方は、いっせいにお口を開かれて、『よろしい、よろしい。よくぞそなたは大乗経典を読みました。そなたが読んだその教えこそ、仏の境地にほかならないのです』とお賞めになるでしょう。

四一〇―一二―上
そこで普賢菩薩は、またさらに懺悔の法を説き聞かせるでしょう。すなわち、

『そなたは、長い過去世において感覚の快さを貪り続けてきたために、ものごとを見分け、考え分ける能力が鈍《にぶ》り、ただもうその場その場の現象に心を奪われ、一時の快楽を貪るばかりなので、現象の変化に引きずり回される、堕落《だらく》した精神の持ち主となっていたのです。そなたは、今こそ大乗の教えの大本をしっかり見つめなければなりません。大乗の教えの大本は諸法実相であることを、あらためてよくよく考えなければなりません』と教えられるのです。

この言葉を聞いたら、また五体を地に投じて、さらに懺悔しなければなりません。懺悔をしたら、いよいよ諸仏およびその教えに対する帰依を深め『南無《なむ》釈迦《しやか》牟《む》尼《に》仏《ぶつ》・南無《なむ》多宝仏塔《たほうぶつとう》・南無《なむ》十方釈迦牟尼仏分身諸仏《じつぽうしやかむにぶつふんじんしよぶつ》』と唱《とな》えるのです。

こう唱えたら、普く十方の仏を礼拝しなさい。『南無《なむ》東方善徳仏《とうぼうぜんとくぶつ》および分身諸仏』というふうに唱えながら、あたかも目のあたりにそのおすがたを見るかのように、一一《いちいち》の仏をまごころをもって拝み、香華《こうげ》をささげて供養《くよう》しなさい。そしてふたたびひざまずいて合掌し、さまざまな偈によって諸仏を賛嘆し、それから過去の(99)十悪業《じゆうあくごう》を反省し、その罪を懺悔するのです。

四一一―七―下
その懺悔が終わったら、さらに次の言葉を唱えて懺悔しなさい。『わたくしは、無量《むりょう》の過去世からずっと肉体的な快さを貪ってきましたので、いろいろな罪をつくりました。そのために、長い間に、怒りや、貪欲や、愚《おろ》かさや、極端な考えや、邪な意見など、さまざまなよくないものを身につけたのです。このような心身の悪い行為を、ただ今すべてさらけ出し、正しい教えの王であられる諸仏に帰依したてまつって、罪を告白し、懺悔いたします』と。

その懺悔がすんだら、また一心に大乗経典を読誦しなさい。そうしますと、大乗の教えの功徳によって、空中からひびいてくる、次のような声を聞くことができましょう。『法の子よ。そなたは、今まさに十方の諸仏に向かいたてまつって大乗の教えをたたえ、諸仏のおん前で自分の過ちを告白しなさい。諸仏如来は、そなたのやさしい父であります。ですから、きっと、その告白を喜んでお聞きくださるでしょう』と。

それで、今度は、自分の舌がつくり出す不善・悪業を、次のように告白するのです。四二一―三―中『この舌は、悪い心に動かされて、嘘や、出まかせや、悪口《わるぐち》や、二枚舌や、事実無根の誹《そし》りや、ありもしないでたらめや、邪な考えに対する賛嘆や、意味のないおしゃべりなど、さまざまな禍《わざわい》をつくります。口はこういうさまざまな悪業をなし、そのために人と人とが排斥《はいせき》し合ったり、お互いの生活の平和を乱したり、正しい教えをまちがった教えであるかのように言いふらして、世をまどわしたりします。このようなもろもろの罪を、今ことごとく懺悔いたします』と。

もろもろの仏のおん前でこのような懺悔をしたならば、五体を地に投じて普く十方の仏を礼拝し、ひざまずいて合掌し、次の言葉を唱えなさい。

四一二―七―下『この口の過ちが引き起こす禍は量り知れないものがあります。人を刺《さ》すようなもろもろの悪い行為は、実に口から出るのです。正しい教えの広まるのを断ち切る罪も、口から起こります。そのような悪舌《あくぜつ》は、世の中に無限に広がるはずの功徳の種を殺してしまうのですから、最大の罪と言わなければなりません。また、真理に合わないことを、しいてあの面この面からこじつけて説いたり、まちがった考えを賞めたたえて、火に薪《たきぎ》をくべるようにその邪見をたきつけることもあります。その害は、猛火が多くの人の身を焼くにも等しいものであります。また、毒を飲んだ人が、皮膚《ひふ》の表面には腫《は》れものなどができないのに、内臓が焼けただれて死んでしまうように、自分では、それと気づかないうちに正しい心を失ってしまうのです。

このような罪は、まことに悪とも邪《じゃ》とも不善とも言うべきものであって、その報いとして、百劫《こう》・千劫の間、不幸な境界に生きねばならないでしょう。嘘をつく罪だけによっても、大地獄に堕ちてしまうのです。わたくしは、今、南方の諸仏に帰依したてまつって、過ちと罪を告白いたしましょう』と。

このように念じていますと、空中からの声がひびいてきて、『南方に仏さまがおられます。栴檀徳《せんだんとく》というみ名で、分身の仏さまも無数におられます。その一切の仏さまは、みな大乗の教えを説いて人びとの罪悪を取り除いてくださるお方ですから、もろもろの罪を持つ者は、今こそ、その大慈大悲の諸仏に邪悪を告白し、まごころから懺悔しなさい』と告げるのです。その声を聞いたならば、ただちに地にひれ伏して、また諸仏を礼拝しなければなりません。

四一三―七―上
この時、諸仏は、また光明をお放ちになって修行者の身を照らし、身も心も洗い清められたような喜びを感じさせ、大慈悲をもって一切の人びとのために念ずる心を自然に起こすように導かれるでしょう。そこで諸仏は、修行者のために、大慈悲の精神と、人と共に喜び、人に対する恩讐《おんしゅう》を超越《ちょうえつ》する精神を教えられ、また、愛情に満ちた言葉や、お互いに和合し、尊敬し合う六つの道を修めるよう、お教えになります。修行者はその教えを聞いて、大いなる喜びを覚え、それを心の中に繰り返して怠ることがないようになりましょう。そうしますと、また空中から美しい声がひびいてきて、さらに身と心の懺悔をしなさいと勧めるでありましょう。

空中の声は、次のように教えます。[四一四—一—上]『身の罪とは、殺生《せっしょう》・偸盗《ちゅうとう》・邪淫《じゃいん》などです。心の罪とは、いろいろな善くないことを考えることです。身と心は一体で離れることのできないものですから、両方が一緒になって、十の悪業や、それよりもっといけない[99]五つの極悪非道《ごくあくひどう》の大罪をおかすのです。そういう身と心の罪は、まるで猿が枝から枝へ飛び移るように、また、とりもちがあちこちにくっつくように、やりはじめたらもう前後不覚になって、次から次へと罪をつくるようになるもので、六根のすべてにそういう毒気が染みわたってしまうのです。

[四一四—二—上]その毒気は、六根から出た枝葉のさき、すなわち心の小さな動きにまで広がり、三界の至る所へ、そして三界のありとあらゆる生きものへ悪影響を及ぼし、また、なんど生まれ変わってもついて回ります。そして、十二因縁《じゅうにいんねん》の法門で教えられた、無明《むみょう》にはじまって老・死に終わる十二の苦しみをつのらせ、また、邪悪に満ち、仏を見たてまつることのできない最低の境界に陥るのです。それゆえ、そなたは、まさにこのような身と心の悪業を懺悔しなければなりません』と。

修行者は、それを聞けば、どういう心の持ち方でその懺悔の法を行じたらいいのでしょうかと、空中の声に向かって問いかけずにはいられなくなるでしょう。すると、空中の声は次のように教えられるでしょう。

四一四―八―上『釈迦牟尼仏は、実は久遠実成の法身《ほっしん》であられて、常に一切の所に普くおいでになられるのです。その仏さまのおられる所は、常に変わらぬ光明に満ちている世界です。そして、四一四―九―中その世界は、無常《むじょう》なものへのとらわれから離れて常住のものをしっかりとつかまえる修行によって到達できた所です。また、四一四―九―下小我から離れて、大我にめざめたことによって安らかにいられる所です。また、四一四―一〇―中浄らかな心で自他の差別を捨てきることによって達成した、平等な所です。それは、四一四―一〇―下真に心の平和を得ることによって、苦しみも悩みもなくなった所であります。また、四一四―一一―上ものごとの存在についての、有るとか無いとかいう判断を超越した所です。つまり、この世の一切の迷いや苦しみから解脱《げだつ》した所であり、完全に仏の智慧の成就《じょうじゅ》した所なのであります。四一四―一二―上この仏の世界は、変化することのない絶対の所でありますから、十方の仏の世界をこのように観じて懺悔の法を行じなければなりません。それが最高の懺悔であります』と。

その時、十方の仏は、右のみ手をさし伸べて修行者の頭をおなでになり、次のようにお賞めくださるでしょう。『よろしい、よろしい。善男子《ぜんなんし》よ。そなたが大乗経をしっかり読んで心がそれに決定《けつじょう》したからこそ、十方の諸仏が懺悔の法を説き聞かせられるのであります。[四一五—三—上]菩薩の行を行うには、まず、よしんば煩悩をすっかり断ち切っていなくても、けっして煩悩に溺《おぼ》れないということが大切です。[四一五—三—下]心というものをよくよく観察してみますと、これが心だとははっきりつかまえることはできぬものだと、分かるはずです。凡夫《ぼんぷ》の普通の心は、転倒したものの見方から起こるものであり、真実でないものを真実だと見るまちがった考えから起こるものです。そのような心の動きは、ちょうど空吹く風が安定することもなく、とどまるところもないのに似ています。

[四一五—五—上]すべてのものごとの真実のありようは、生じたり滅したりすることはなく、本来空《くう》であります。とすれば、当然つぎのような省察《せいさつ》が生じてくるはずです。——いったい何を罪とし、何を福とするのか。自分の心というものもおのずから空なのだから、もともと罪も福も実体はないのである。[四一五—六—下]すべてのものごとは、このように固定した実体があるのでなく、そのまま住《とど》まるとか破壊《はかい》するとかいうようなことは一切

なく、不生《ふしょう》・不滅《ふめつ》なのである――

[四一五―七―上]こう省察して、自分の心というものをよく観察してみると、これが心だと思っていたのは、本当の心ではなくて転倒した妄想《もうそう》に過ぎなかったことが分かってくるはずです。また世の中のすべてのものごとも、凡夫がその五官でとらえるようなあり方でしっかりと実在するのではないことが分かってくるはずです。

ですから、すべてのものごとは、すでに解脱した状態であり、あらゆる苦しみのない状態のものであり、安らかな涅槃《ねはん》の状態なのであります。このことを悟るのが最高の懺悔であり、[四一五―八―下]最も美しい懺悔であり、[四一五―九―上]本当に罪をなくしてしまう懺悔であります。そして、それは、[四一五―九―中]現象にとらわれ、現状に安住してしまう心をうち破り、真実の悟りに心を向けさせるものであります。

[四一五―九―下]こういう懺悔を続けていけば、その人の身も心もすっかり清浄になり、この世のさまざまな出来事にとらわれず、精神が自由自在なことは、あたかも流れる水のようになるでしょう。そして、常に普賢菩薩および十方の諸仏と共にあるということを、実感としてはっきり感ずるようになるでしょう』と。

その時に十方の諸仏は、大慈悲の光明を修行者にそそがれて、[四一五―一二―上]すべてのものごとには特定の相《すがた》はないという教えをお説きになります。修行者は、空の究極の意味を説き聞かされても、もはや驚きや不安を覚えることはありません。そして時が来れば、真の菩薩としての資格を身につけることができましょう」

以上のようにお説きになった釈迦牟尼世尊は、あらためて阿難におおせられました。

「このように行ずることを、真の懺悔と言うのです。これは、十方の諸仏も、もろもろの大菩薩も行ぜられる懺悔の法であります」

さらにお言葉をつがれ、阿難に向かってお教えになりました。

「わたしが入滅《にゅうめつ》した後、仏の教えを信仰する者が自分の悪行《あくぎょう》を懺悔しようとする時は、何よりもまず大乗の経典を読誦することが大切です。中道の教えと仏性の平等を説く大乗の教えは、諸仏の眼であります。すなわち、この法によってこそ諸仏も肉眼《にくげん》・天眼《てんげん》・慧眼《えげん》・法眼《ほうげん》・仏眼《ぶつげん》(100)の五眼《ごげん》を完全に具えて、あらゆるものごとの実相を見通されるようになったのです。

四一六—六—中 仏の本体である法身も、その徳の結晶《けっしょう》である報身《ほうしん》も、娑婆世界への現れである応《おう》身《じん》も、すべて中道と平等な仏性を説く大乗の教えによって生じているものであります。これこそ、仏教の眼目であります。本当の涅槃を教えるものであります。仏の三種の身は、真の涅槃を説いた大乗の教えから生じたものであり、人間界・天上界のあらゆる生きものに福を与えるものであり、したがってすべてのものが感謝のまごころをささぐべき至上の存在であります。

ですから、大乗の教えを読誦する者は、仏の功徳を存分に受け取って、永久にもろもろの悪心・悪事を離れることができるのだと、知らなければなりません。言うならば、仏の智慧によって新しく誕生するわけであります」

そして世尊は、これまで説かれたことを、偈によって重ねてお教えになりました。

四一六—一二—上 人間が長い間あやまちを積み重ねてきたその業《ごう》の障りによって、今の自分のものの見方が誤っていることに気づいたならば、一心に大乗の教えを読誦し、第《だい》一義空《いちぎくう》ということに深く思いを潜《ひそ》めなければならない。これこそが眼の罪の懺悔であり、一切の悪業を消滅し尽くす原動力である。

四一六—一二—下 迷いによって歪《ゆが》められている耳根《にこん》は、乱れた聞き方でものごとを聞く。それが人間関係に不和を生ずる原因となる。誤った聞き方をすれば、そのために転倒した考えを起こし、あたかも本能の衝動によって動く猿のように、あられもないことをしでかすのだ。ゆえに、人びとは一心に大乗の教えを読誦し、すべてのものごとは空であり、固定した特別の相《すがた》はないことをしっかりと観じ、すべての人間のもつ仏性を凝視《ぎょうし》することを心がけねばならない。そうすれば、永久に一切の悪を寄せつけず、すべてのものごとが正しく耳に入ってくるであろう。

四一七―三―中 感覚の快さのみに執着すれば、その妄念《もうねん》にひかされて、さまざまなまちがった感情を起こし、その迷いのためにいろいろな煩悩の塵《ちり》が生ずる。そのとき大乗経を読誦し、仏の究極の悟りである諸法の実相を観ずるならば、永遠にもろもろの悪業から離れ、ふたたびおかすことはないであろう。

四一七―六―上 舌根は、ともすればもろもろの悪をつくる。もしそれを正しく調《ととの》えて、正しい言葉を出すようにしたいと欲するならば、常に努力して他に対する慈悲の行いをなし、仏法の真実かつ不動の奥義である仏性というものに思いを凝らし、さまざまに分け隔《へだ》てする考え方を捨てなければならない。

四一七―八―上 心は、枝から枝へ飛び移る猿のように、しばらくもじっとしているものではない。もし、その悪を抑えて正しい道へ引き入れようと欲するならば、努めて大乗の教えを読誦し、天地の真理を悟ったおん身にさらに万物を救う力を具えられ、何ものをも畏れはばかることなく法を説かれる仏の業《わざ》を、一心に念じなければならない。

四一七―一〇―上 人間の心身は、さまざまなはたらきをするものであるが、そのはたらきが周囲の事情に影響されて変化するさまは、あたかも塵が風に飛ばされるのに似ている。心身の中には、六根のわがままな欲望が思う存分に暴《あば》れ回っているのだ。もし、その誤った欲望を滅して、永久にもろもろのわずらいから離れ、常に真の涅槃の境地におり、心安らかに楽しく、他に多くを望まぬ淡泊《たんぱく》な心境にいたいと欲するならば、ひたすら大乗経を読誦し、仏の慈悲を念じなければならない。

四一八―一―中 人間を向上させるさまざまなすぐれた方法は、このように、大乗の教えによって諸法の実相を思うことから限りなく生まれてくるのである。いま説いた六つの教えはその例であって、つまりは人間の心のはたらきを正しくして、実相を見極められるようになる方法にほかならないのだ。

四一八—一二—下

一切の業障は、ありもせぬものをあると思う妄想から起こるものである。ゆえに、もしおのれの業障《ごうしょう》を懺悔しようと思うならば、静かに端坐《たんざ》して、諸法の実相を深く思念するのが最高の道である。

もろもろの罪というものは、あたかも霜《しも》や露《つゆ》のごとき仮の現れに過ぎず、実相を観ずる智慧の光に照らされれば、たちまち跡形もなく消滅するのである。それゆえ、ひたすら実相を思念することによって、六情根《ろくじょうこん》を洗い清めなければならないのである。

この偈を説き終えられた世尊は、阿難に向かっておおせられました。

「あなたは、このようにして六根の懺悔をなし、普賢菩薩の行を観ずる法をしっかりと身につけ、しかもその法を、普く十方の天上界や人間界の人びとのために、それぞれの相手に適切な方法を選んで説きなさい。

また、わたしが入滅した後、多くの弟子の皆さんが、大乗の教えを受持し、読誦し、人びとのために解説しようと思うならば、墓場《はかば》や、林の中の木陰や荒れ野のような、俗世を離れた静かな場所で、大乗の経典を読み、その意義を深く考えなければなりません。その念力が強ければ強いほど、わたしの身および多宝仏塔をはじめ、十方分身の諸仏や普賢菩薩・文殊《もんじゅ》菩薩・薬王《やくおう》菩薩・薬上《やくじょう》菩薩等の大菩薩と共にあるという自覚を明らかに覚えることができましょう。

そして、それらの諸仏・諸菩薩は、妙法を恭敬《くぎょう》するがゆえに、もろもろの美しい花をもって空中に現れ、妙法を受持し、実践する者を賞めたたえ、恭敬するでありましょう。このように、ただ大乗の教えを読誦するだけで、諸仏・諸菩薩は昼夜を分かたずその人を供養してくださるでありましょう」

四一九―二一上 さらに世尊は、阿難に向かっておおせられました。

「わたしも、またかつて、この世に出られた諸仏・諸菩薩も、大乗の真実の意義を深く思うことによってこそ、無限の過去世に生き死にを繰り返した間に積んできた罪を、すべて消滅させることができました。この最もすぐれた懺悔の法によってこそ、今、十方の国でそれぞれ仏となることができたのです。

皆さんも、回り道をせずまっすぐに仏の悟りに到達しようと思うならば、また、そのままの身で十方の諸仏や普賢菩薩と共にあるという自覚を得たいならば、身を洗い清め、清潔《せいけつ》な衣服をつけ、よい香りの香を焼《た》き、静かな所で大乗経典を読誦し、その意義を深く考えなければなりません」

四一九―七―下
また、あらためてこのようにお教えになりました。

「もし人びとが普賢菩薩と共にある自覚を得たいと思うならば、今まで説いてきたような世界観・人生観をもつことです。そういう世界観・人生観をもつ者を、正しいものの見方をする人間と言い、ほかの見方をする者を、誤ったものの見方をする人間ということができます。

わたしが入滅した後、弟子の皆さんが、わたしの言葉に従って懺悔の行をするならば、それは普賢菩薩と同じ行いをしていることになるのです。普賢菩薩と同じ行いをする者は、現象を悪く見たり、悪業の報いを受けることがないようになるでしょう。

一般の人びとも、昼夜に六回もろもろの仏を礼拝し、大乗経を読誦し、深遠な第一義空に思いを凝らすならば、指を一度はじくぐらいの短い時間に、何億年もの間生き変わり死に変わりする間に積み重ねてきた迷いを、すっかり取り除いてしまうことができましょう。

四二〇―二―中
この行を行ずる人こそ、本当に仏の子であります。もろもろの仏から生じたものであります。十方の諸仏が、その人のために導師の役を引き受けてくださるでしょう。そういう人こそ、菩薩としての心身の戒《いまし》めを完全に実践できる人であるということができます。受戒《じゅかい》の儀式などを経ることなく、自然に菩薩としての資格を成就し、一切の人間・天人から供養を受ける身となりましょう。

もし修行者が菩薩としての資格を完全に具えたいと思うならば、静かな所に坐り、合掌して普く十方の諸仏を礼拝し、もろもろの罪を懺悔し、自分の過ちを告白しなければなりません。そして、やはり、その静かな場所で、十方の仏に対して次のような願いを申し上げることです。

四二〇―八―下
『もろもろの仏さまは、常にこの世にいらっしゃいます。それなのにわたくしは、過去につくった業障のために、大乗の教えを信じていながら、しかも仏さまを明らかに見たてまつることができません。今、あらためて仏さまに心から帰依いたします。願わくは、最高の智慧を具足《ぐそく》されている釈迦牟尼世尊よ、わたくしのために導師となってくださいませ。世の人の苦を抜く偉大な力をもたれる文殊菩薩よ。願わくはあなたの智慧力をもって、わたくしに清らかな菩薩の法をお授《さず》けくださいませ。太陽のごとき慈心をもたれる弥勒菩薩よ。わたくしを憐れとおぼしめして、わたくしが菩薩の法を受けられますようお導きくださいませ。十方の諸仏よ、どうぞ、おすがたを現されまして、わたくしが菩薩の道を行ずるのをお見とどけくださいませ。もろもろの大菩薩よ。衆生を守護し、わたくしどもの行にお力をお添えくださいませ。

四二一—三—上 今こそわたくしは大乗の教えを受持いたします。たとえそのために命を落とすようなことがありましょうとも、あるいは、まかりまちがって地獄に堕ちて無量の苦しみを受けることがありましょうとも、絶対に諸仏の説かれました正法《しょうぼう》を謗《そし》るようなことはいたしますまい。このようなわたくしの強固な信心のゆえに、その功徳の力をもって、釈迦牟尼如来よ、どうぞ、わたくしの導師となってくださいませ。文殊菩薩よ、法の実践についてこまごまとご指導くださいませ。未来世に仏となられる弥勒菩薩よ、願わくはわたくしに教えをお授けくださいませ。十方の諸仏よ、どうぞ、わたくしの信仰をお見とどけくださいませ。もろもろの大徳の菩薩よ、どうぞ、わたくしの信仰の道連れとしてお導きくださいませ。わたくしは、今こそ大乗の深遠至上の教えによって、仏に帰依し、法に帰依し、僧に帰依いたします』このように三度唱えるのです。

三宝《さんぼう》に帰依する心を深めたら、今度は自分の行いについて、(101)六つの戒めの実践を誓うのです。その誓いを実践することによって、ついに、自由自在に行動しても、それが常に清らかな行いであるという境地に達するよう、けんめいに修行することです。と同時に、広く世の人びとを救おうという志を起こし、さらに(101)八つの戒めの実践を誓わなければなりません。

この誓いを立てたら、静かな場所でよい香りの香を焼《た》き、美しい花をふりかけて一切の諸仏および諸菩薩・大乗の教えを供養し、そして、次の言葉を唱えなさい。『わたくしは今、仏の智慧を成就したいという志を起こしました。願わくはこの功徳をもって、普く一切の人びとを救うことができますように』と。

四二二―二―中 この言葉を唱えたら、またさらに一切の諸仏およびもろもろの菩薩をふし拝み、そして大乗の教えに深く思いをめぐらしなさい。そのようにして一日から三七二十一日に及べば、出家・在家を問わず、また、和上《わじょう》その他の導師をお願いして受戒の儀式を行わなくても、あるいは告白文を読み上げなくても、ただ大乗の教えを受持・読誦して得る力によって、持戒《じかい》・禅定《ぜんじょう》・智慧・煩悩からの解脱・解脱したことを自ら知るという、五つの高い境地を完成することができます。なぜならば、大乗の教えは諸仏の説きたもう正法の最大の要点であり、しかも、それを受持・読誦する者には、普賢菩薩の助けがあるからです。諸仏如来も初めから仏であったのではなく、すべて大乗の教えによって、まず仏となる保証を得られたのであります。

四二一—八—上 仏道を修行する者が、もし声聞《しょうもん》がなさねばならぬ仏《ぶっ》・法《ぽう》・僧《そう》への帰依および(102)五つの戒め・八つの戒め・比丘の戒め・比丘尼の戒め・沙弥《しゃみ》の戒め・沙弥尼の戒め・正《しょう》学女《がくにょ》の戒めなどを破り、行儀作《ぎょうぎさ》法《ほう》に乱れを生じ、すなわち愚かな心・善くない心・悪くて邪な心から、誤ってもろもろの戒めや立ち居振る舞いの決まりをおかすようなことがあったとしましょう。そのような過ちを取り除いて、ふたたびりっぱな修行者としての身に立ち戻り、沙門《しゃもん》の教えと戒めを完全に成就したいと思うならば、まさに、努め励んで大乗経典を読み、深遠な第一義の空の教えをしっかりと考え、四二一—一二—中 この空を観ずる智慧が常に心の動きに応じてはたらくようにならなければなりません。そうなったら、ほんの短い間にも一切の罪や煩悩の起こることがなく、罪・煩悩は永久になくなってしまうものと知るべきです。そうなってこそ、沙門の教えと戒めを完全に成就し、もろもろの行儀作法もすっかり身についたと言えるのです。その人こそ、人間界・天上界のあらゆる人びとの供養を受けるにふさわしい存在なのであります。

四二三―三―上　もし在家修行者が、さまざまな不行儀な振る舞いや、善くないことをしたりしたとしましょう。善くないことというのは、仏法のあら探しをしてそれを得々として論じたり、出家・在家の修行者たちの過ちを言いふらしたり、盗みや不品行なことをして少しも恥じないことです。それらの不行跡を懺悔し、もろもろの罪を滅しようと思うならば、まさに大乗経典を読み、その究極の教えをよくよく考えてみることです。

もし王者とか、大臣とか、上流階級の人間とか、知識人とか、富豪とか、役人というような社会的地位の高い者が、あるいは物質や名誉や他の奉仕などを貪り求めて飽《あ》くことなく、あるいは五つの大罪をつくり、あるいは大乗の教えを誹り、あるいは十の悪い行いをしたとしましょう。その人は悪業の報いによって、豪雨にもまさる勢いで、まっさかさまに悪い世界へ墜落《ついらく》するに違いありません。まったく救いのない地獄へ、必ず堕ちてしまうでしょう。もしこの業障を消滅させようと思うならば、深く恥じる心を起こし、もろもろの罪を悔いあらためなければなりません」

ここで仏さまは、あらためておおせになりました。

四二三―一〇―中　「在家の人は、どのようにして懺悔したらよいのかと言えば、いつも正しい心をもって、仏・法・僧の三宝を謗ることなく、出家の修行の障りとなることをせず、清らかな修行をしている者に難儀をかけるような悪行をしないことです。いつも仏・法・僧・戒《かい》・施《せ》・天《てん》(103)の六法を強く念じ、それらの道を修行しなければなりません。また、大乗の教えを保持する者が不自由しないように、よく面倒を見、感謝のまごころをささげ、必ず礼拝しなければなりません。と同時に、自らも、深遠な教えである第一義空を常に心にとどめていなければなりません。以上の教えを大事に思うことが、心ある在家の人びとの懺悔の第一の道であります。

次に、父母に孝行を尽くし、先生や目上の人を尊敬すること。これが第二の懺悔の法です。

次に、正法にもとづいて国を治め、まちがった考えによって人民を邪道へ曲がらせないこと。これが第三の懺悔の法です。

次に、月に六度の精進日《しょうじんび》には、自分の治めている土地に布告を出し、支配力の及ぶ限りの所で殺生が行われないよう努力すること。これが第四の懺悔の法です。

次に、因果《いんが》の道理を深く信じ、仏に至る菩薩道を信じ、久遠の仏は常に自分と共におられて滅したまわぬと知ること。これが第五の懺悔の法です。

そして仏さまは阿難に向かって、最後のしめくくりのお言葉をお述べになりました。

「将来の世において、もしこのような懺悔の法を習い修める者があったならば、その人は自らを反省するという美しい徳を身につけ、諸仏に守られ助けられて、長い年月《としつき》を経ることなく仏の悟りを成就することができましょう」

仏さまがこう説き終えられますと、多くの天子たちは、あらゆるものの本当の相《すがた》や性質を見ることのできる澄《す》みきった心をもつようになり、弥勒菩薩をはじめとする諸大菩薩、及び阿難をはじめとする声聞・縁覚《えんがく》の人びとも、仏さまのみ教えを得て心の底から喜びを覚え、必ずそれを実践しようとする決心を固めたのでありました。

仏説観普賢菩薩行法経　完

現代語の法華経——注解説

❶お釈迦さま（世尊・釈尊）

お釈迦さま（尊称を世尊と言い、一般には釈尊と称する）は、カピラバストの釈迦族の長子として生まれたが、出家して苦行ののちブッダガヤーの菩提樹のもとで正覚《しょうがく》を成じられた。その後、約五十年に及ぶ布教活動を続けられ、クシナガラで八十歳の生涯を終えられた。大乗仏教の時代になると、人類の救済主であるお釈迦さまのことを釈迦如来（注：33参照）と呼称するようになった。

❷菩薩

梵語《ぼんご》のボーディサットヴァのことで、大士などと訳される。自らのために無上の悟りを求めつつ、他のために教化・救済のはたらきを惜しまぬ実践的信仰者を言う。また、文殊菩薩《もんじゅぼさつ》・普賢《ふげん》菩薩・観世音《かんぜおん》菩薩のように、報身仏《ほうしんぶつ》（注：3参照）のような性格の菩薩もおられる。

❸仏

仏とは、仏陀《ぶつだ》のこと。もとはインドでお生まれになった歴史上のお釈迦さま（注：1参照）のことをさしたが、大乗の時代に仏の身についてのさまざまな考察（仏身《ぶっしん》論）がなされた。その中で、法・報・応の三身《さんじん》説が最も有名で、「法身《ほっしん》」とは真如《しんにょ》（宇宙のあらゆるものごとを存在たらしめている大本の法のことで、これは生じたり滅したりするものではなく無始無終のものである）そのものである仏さまのこと。「報身《ほうしん》」とはその真如が、われわれの理解できるようなすがたをとられた仏さまのこと。真如から来られたという意味で如来《にょらい》（注：33参照）とも言う。「応身《おうじん》」とはその真如にもとづいて衆生を教化・救済するために、この世に出られた人間としての仏さまのこと。人類救済のためにこの娑婆世界に出現したお釈迦さまは、仏の三身すべてを具えられている。

❹智慧

宇宙と人生の真理を知り、すべてのものごとの本質を見通す心のはたらき。仏教では、これを磨くのが人生にとって最も大切だと教える。

❺実相

宇宙のすべてのもののありのままの真実の相《すがた》（如《によ》・法性《ほっしょう》）という意味。または実際とか真相という意味。あるいは空《くう》（注：31参照）とか中道とか般若波羅蜜とか涅槃とかと同じ意味に使われることもある。これを大きく分ければ、「すべてのものごとの、現象として現れているありのままの相《すがた》」ということと、「すべてのものごとの本質の相《すがた》」という二つになる。

❻解脱

苦悩や不安や迷妄《めいもう》からすっかり抜け出した超脱の境地。また、その境地に至ること。

❼十二因縁

根本仏教の中心をなす大事な教え。〈長阿含経〉というお経の中で、阿難に向かって詳しくお説きになっておられ、人間の肉体の生成にも、十二段階の原因・結果の法則があり（外縁起）、心の成長にも十二段階の原因・結果の法則（内縁起）があるという教え。すなわち、われわれ凡夫の肉体がどうして生まれ、成長し、老死に至るかという因縁を、過去・現在・未来の三世にわたって説かれ、われわれの心の変化にもそれと同様な原因・結果の法則があることをお説きになって、心を清め、迷いを除く根本的な方法を教えられたもの（三一〇頁六行目以降参照）。

❽大乗（小乗）

釈尊の入滅後、その一言一句を金科玉条としてそのまま守りつつ、個人的な悟りを成就しようとする保守派に対して、釈尊の教えを時勢に合わせ、その時代の人びとに強く訴えるような角度から解説することによって、多くの民衆を救おうと志した進歩派の人たちが、自分たちのゆき方を〈大きな乗り物〉という意味でマハーヤーナ（大乗）と称し、保守派のゆき方を〈小さな乗り物〉という意味のヒーナヤーナ（小乗）とさげすんだ。また、保守派は「お前たちの言うことは釈尊の教えではない」と反発した。それらに対し「釈尊の教えに大乗も小乗もない。もともとこの一乗（注：65参照）しかないのだ」として、その真精神を抽出して書き著されたのが、「法華経（注：58参照)」にほかならない。

❾涅槃

梵語のニルヴァーナのこと。もとの意味は、火を吹き消した状態のことを言い、煩悩《ぼんのう》(注:32参照)をまったく滅し去った境地で、すべての存在と大調和する心境に達した時に得られる真の安らぎの状態。

❿衆生

人間を含むすべての生きとし生けるものを言う。

⓫比丘(四衆)

比丘というのは、男子の出家修行者のことで、比丘尼というのは、女子の出家修行者のこと。さらに、優婆塞《うばそく》(男子の在家修行者)と、優婆夷《うばい》(女子の在家修行者)を加えた四種の修行者を四衆と言う。

⓬神通力(六通・三明)

普通の人では量り知ることのできない自由自在な力を神通力と言う。これには、天眼通《てんげんつう》(普通の人に見えないものを見通す能力)・天耳通《てんにつう》(普通の人に聞こえない音や声を聞くことのできる能力)・他心通《たしんつう》(ひとの心をすっかり見通す能力)・宿命通《しゅくみょうつう》(前の世のことまで知ることのできる能力)・神足通《じんそくつう》(素晴らしい早さで、どんな所へも行ける能力)・漏尽通《ろじんつう》(自由自在にひとの心の迷いを除ける能力)があり、六通とも言う。なお天眼通・宿命通・漏尽通の、よりすぐれた力を三明《さんみょう》という。

⓭阿羅漢

梵語アルハット、パーリ語アラハンのこと。普通は小乗仏教における最高の悟りを得た者をさすが、大乗仏教の立場からは声聞の最高位とされている。

⓮偈

韻文《いんぶん》のこと。古来インドの人は即座に作詩し、朗唱するのが得意であり、また教えをよく記憶するためにも、説法に韻文形式が取られたという。大きく分けて二種類(偈頌《げじゅ》=仏・菩薩の徳を賞めたたえる詩・応頌《おうじゅ》=前の散文の意を重ねて説く詩)ある。

⓯持戒

折に触れて釈尊がお示しになった戒律、つまり、仏道を行う者として守るべき心がまえと生活のあり方をよく守ること。

⓰禅定

心が静かで安定しており、真理の道に定まっていること。

⑰解脱知見

無自覚に解脱の境地に至るのでなく、自らの修行によってその境地に達し、しかもその境地にいる自己を明らかに客観できる、知性透徹の境地。

⑱三昧

梵語サマーディのこと。一つのことに心を集中することによって、精神が安らかに定まった状態。

⑲道品

三十七道品《どうほん》のことで、仏道を成就するための修行のしかたを七種類（四念処《しねんじょ》・四正勤《ししょうごん》・四神足《しじんそく》・五根：71参照・五力・七覚支《しちかくし》・八正道：73参照）、三十七に分けて心の持ち方、身の持ち方について説いたもの。

⑳善業

業《ごう》とは行為の意。仏教では、善い行為は必ずいつかは善い結果を生むと説く。

㉑因縁

因は原因、縁は条件。仏教では、すべての現象はこの因と縁との和合によって生ずると説く。

㉒万字

仏教のしるしである卍《まんじ》の形。四方が円満で完全に揃っているという意味で、〈完全〉の象徴とされる。

㉓色身

現象として現れている身体。肉体。色《しき》とは、形を有し生成・変化する物質的現象を言う。

㉔四諦

仏教の根底をなす重要思想の一つ。苦諦《くたい》（この世はすべて苦であるという諦《さと》り）・集諦《しつ》（苦の原因は貪《むさぼ》り求めてやまぬ渇愛《かつあい》であるという諦り）・滅諦《めつ》（苦は必ず滅することができるという諦り）・道諦《どう》（苦を滅するには八つの正しい道によって生きることであるという諦り。注：73参照）。

㉕六波羅蜜

波羅蜜《はらみつ》とは、梵語のパーラミター（究竟、彼岸に到る、度《わた》る）のこと。つまり、菩薩が仏の教えの理を究め尽くし、事を完成し、悟りの彼岸に達する道を波羅蜜と言い、その道を修行するための六つの徳目を六波羅蜜と言う。〈布施《ふせ》〉とは、精神的・物質的・肉体的のあらゆる面から人のために尽くすこと。〈持戒《じかい》〉とは、謙虚に仏の戒めを守ることを心がけ、自身の完成に努力することによって、人を救う力を得ること。〈忍辱《にんにく》〉とは、他に対して常に寛容であり、どんな得意な状態にあってもおごりたかぶらない平静な心を持つこと。〈精進《しょうじん》〉とは、自分の本来の使命に向かって一心不乱に努力すること。〈禅定《ぜんじょう》〉とは、どんなことが起こっても動揺したりすることのない、静かで落ち着いた心のこと。〈智慧《ちえ》〉とは、諸法実相を知り、どのような場合にも人間らしく生きる正しい道を選ぶことができること。

㉖機根

仏の教えを受け入れうる各自の能力。仏の教化によって発動する、もちまえの精神的な能力。

㉗最高無上の悟り（阿耨多羅三藐三菩提）

阿耨多羅《あのくたら》三《さん》藐三《みゃくさん》菩提《ぼだい》（梵語のアヌッタラ・サミャク・サンボーディのこと）とは、中国語には「無上《むじょう》正《しょう》偏《へん》（遍）知《ち》」と訳される場合もある。すなわち、仏の智慧のことで、最高無上の正しい智慧、あらゆるものごとをつらぬく真理に通達する智慧のこと。

㉘無量義

〈この世に現れているあらゆる現象は千差万別であるが、それらはみな縁起によって生滅しており、その本質においてはみな平等であり、大調和していることを悟り、同時にすべての教えもその現れはいろいろであるけれども、もとをただせば一つの真理（仏の大慈悲）から生まれたものであることを認識し、理解しなさい〉という教え。以上のことを説かれたのが《無量義経》である。

㉙六種の迷いの世界（六道・輪廻）

衆生が業によって生死を繰り返す道程を六道《ろくどう》（地獄・餓鬼・畜生・修羅・人間・天上）と言い、業によって趣き住む所なので六趣《しゅ》とも言う。また、迷いの世界や人間の状態を六つに分けたもので、怒り（地獄界）、貪欲（餓鬼界）、愚痴（畜生界）、争い（修羅界）、平正《びょうじょう》:前四つの心は起きるが、おしとどめ平静な状態に戻れる（人間界）、歓喜（天上界）の六つの状態を言う。生あるものが、この迷いの六趣（六道）を車の輪のように生まれ変わり死に変わりを繰り返すことを輪廻《りんね》と言う。そして、智慧の教えである仏法によって悟りを開き、この六趣から離れることを出離《しゅつり》と言う。

㉚生住異滅（四相）

ものごとが生《しょう》・住《じゅう》・異《い》・滅《めつ》と生滅変化する四つの相のことを言う。「生」は今までなかった現象が生ずること。「住」はとどまるという意味で、ある状態がそのまま続くこと。「異」は異なった状態へ変化すること。「滅」は、その現象が消えてなくなってしまうこと。ものごとには必ずこの四つの相がある。

㉛空

「絶対的存在」であるとか「すべてのものごとの根源の存在」というものは何もなく、すべてのものごとが縁起によって存在しているということを空《くう》と言う。したがって、すべてのものごとはその本質においては、平等である（無相）ということにもなる。この「空とは、平等である」ということが、仏教として最も大事な意味である。このような空の教えのことを空法とも言う。

㉜煩悩

身体《からだ》を煩わせ、心を悩まし、かき乱し、惑わし、汚し、正しい判断を妨げる心のはたらき、精神作用を言う。貪《とん》（貪り）・瞋《じん》（怒り）・痴《ち》（愚痴）の三毒（注：80参照）を一切の煩悩の根源的なものとしている。

㉝如来

「如」とは真如《しんにょ》のことで、その「如」から「来」たるものであるということ。つまり、真如を悟った方、真如と一体であることを自覚された方のことを言う。仏（注：3参照）を表す最も普遍的な言い方の一つである。

㉞声聞

仏の説法を聞き、あるいはその遺教を学ぶことによって、個人的解脱を求める修行者。

㉟菩提心

阿耨多羅三藐三菩提心の略。最高無上の悟り（注：27参照）を得ようと志す求道心。

㊱縁覚

自らの思索や人生体験に縁《よ》って覚りを開き、個人的解脱を得ようとする修行者。辟支仏《びゃくしぶつ》（注：63参照）とも言う。

㊲縁起

すべてのものごとは縁《よ》りて起こるということで、釈尊はこの縁起の理法を菩提樹下で悟られ、成仏されたという。縁起のありようについては十二因縁（注：7）を参照のこと。因縁（注：21参照）とも言う。

㊳供養

仏《ほとけ》（仏《ぶつ》）・仏の教え（法）・仏の教えを説き伝える人びと（僧）の三宝《さんぼう》に対し、帰依と感謝のまごころをささげる行為。

㊴三世
過去世・現在世・未来世のこと。

㊵菩薩行
菩薩（注：2参照）の行う自行・化他行（教化・救済）のこと。六波羅蜜（注：25参照）の修行のこと。

㊶無生法忍
一切のものごとが不生不滅であるという教え（無生法《むしょうぼう》）を体得し、現象の変化に動揺しなくなった境地（忍《にん》）。

㊷娑婆
梵語のサハーのことで、忍土などと訳される。苦を耐え忍ばなければ生きられない世界という意味。

㊸帝釈天・四天王・梵天
もともとバラモン教の神々だが、仏教はそれを仏教の守護神として受け入れた。梵天《ぼんてん》は万有の根源の神格化、帝釈天《たいしゃくてん》は須弥山《しゅみせん》の頂上に住み、忉利《とうり》天の主とされる。四天王は帝釈天の家来で持国《じこく》天は東方を、多聞《たもん》天（または毘沙門天《びしゃもんてん》）は北方を、増《ぞう》長《ちょう》天は南方を、広目《こうもく》天は西方を守護する善神。

㊹韋提希夫人
釈尊に帰依していたマガダ国の王ビンビサーラの夫人。実子阿闍世《あじゃせ》に幽閉されたとき獄中より仏陀を念じたところ、その感応によって釈尊が観無量寿経を説き聞かされたという。

㊺阿闍世王
釈尊に反逆した提婆達多《だいばだった》にそそのかされ、父王ビンビサーラを幽閉して死に至らしめ、母の韋提《いだい》希夫人《けぶにん》をも幽閉したが、のちに罪を悔いて釈尊の門に入り、釈尊の入滅後は仏教教団の大保護者になった。

㊻教菩薩法
万人に平等に存在する仏性《ぶっしょう》を確信し、礼拝《らいはい》することによって顕現させ、人を救い世を救う菩薩道を教える法門。

㊼仏所護念
もろもろの仏が、教えの最高の秘要としてみ心に護り念じてこられた法門。

㊽諸法実相
すべてのものごと（諸法）のありのままの相《すがた》、真実のありようのこと（注：5参照）を言う。この諸法実相ということを端的に言い表したものが、略法華と言われる十如是《じゅうにょぜ》（相・性・体・力・作・因・縁・果・報・本末究竟等《くきょうとう》）の教えである。

㊾無間地獄

六道（注：29参照）の一つである「地獄」の中で、最も重い罪（父を殺す・母を殺す・阿羅漢を殺す・仏身を傷つける・仏弟子の和合を破るという五大悪逆（注：99参照））や、仏の教えを誹謗すること）を犯した者のゆく所。また、梵語のアビーチを中国語に訳したもので阿《あ》鼻《び》地《じ》獄《ごく》とも言い、地獄界の最下の所にあり、苦を受けることに間がなく、苦を受け続けるので無間《むけん》と言う。

㊿有頂天

三界（注：52参照）の最頂上にある精神的な喜びに満ちた天上界。

51阿鼻地獄

注：49を参照。

52三界

衆生（注：10参照）が生き死にする世界を三つに分けて、欲界《よくかい》（食欲・性欲のある世界）・色界《しきかい》（前の二欲を離れた清らかな世界だが、まだ物質がある）・無色界《むしきかい》（物質を超えた精神のみの世界）としたもの。

53無上道

この上もない道。すなわち、すべての人を仏の悟りへ導く教え。仏道。

54世間（出世間）

世《せ》とは流転するということで、水が流れるように常に移り変わってやむことのない状態を言う。間《けん》とは中ということ。したがって、世間とは、常に移り変わってやまない流転の中に存在するものという意味。また、すべての存在がそれぞれの間にさかいをつくって存在している状態をも世間と言う。つまり、この宇宙間のありとあらゆる存在、またそれらが相依相関して存在しているありさまをさす。この、常に移り変わってやまない流転の世界である世間から離れ、悟りの境地に入ることを出世間と言う。

55増上慢

まだ最上の悟りを得てもいないのに、悟ったかのように思い込んでいる慢心。

56僧伽

梵語サンガのことで〈密接な結合〉という意味を持ち、仏法に帰依し、修行する人びとの集まり。略して僧と言い、中国語訳では、和合僧もしくは和合衆と言う。三宝《さんぼう》（仏・法・僧）の一つ。

57白毫相

仏の額にある白い渦毛《うずげ》。

58妙法蓮華

妙法蓮華経（法華経）のことで、「妙法」とは妙なる法、すなわち最も勝れた絶対の教え。「蓮華」とはインドにおいて最も美しい花とされており、法の妙なるさまを蓮華で表した。つまり、俗世の中にいながら現象の移り変わりに迷わされず、仏の大慈悲のままに正しく生き、自らの人格を完成しつつ、世の中を完全平和な理想境につくりあげていく道を教え、人間はだれでもその道を達成できる本質をもっていることを説かれた。言いかえれば泥の中から清らかに咲く蓮の花のような強く美しい生き方を示された教えである。

59授記

仏が仏弟子に対して「そなたは必ず仏の悟りを成就するであろう」という保証（記莂《きべつ》）を授けられること。保証とは言っても、必ず「これこれの修行を積んだのちに」という条件が付けられる。

60五欲・五官

眼・耳・鼻・舌・身の五つの感覚器官が五官。その五官の快楽を欲する心が五欲。なお、財・色・飲食・名誉・睡眠を五欲ということもある。

61仏性

人間の本質は、宇宙の大生命とも言うべき久遠《くおん》実成《じつじょう》の本仏と一体のものであるから、すべての人間には仏となりうる可能性が平等に具わっている。これを仏性《ぶっしょう》と言う。現実には、その仏性も多くの煩悩によって厚く覆われているので、日々の仏道修行によって煩悩の塵を徐々に除いていかなければならない。それこそが仏教の真の使命であり、功徳である。

62方便

方は正、便は手段。相手を教化し、開悟せしめるための人と場所に応じた適切な手段のこと。

63辟支仏

梵語のプラティエーカ・ブッダ（パーリ語では、パッチェーカ・ブッダ）のことで、自らの思索や修行によって悟りの境地に達しようとする人、またはその境地。縁（体験）によって覚る（悟る）から縁覚（注：36参照）とも言い、また独りで覚るから独覚とも言う。

64不退転

信仰心がしっかりと定まり、後退したり、転向したりしないこと。

65 一仏乗

すべての教えが一切衆生を仏の境地へ導くための教えであるとすること。声聞（注：34参照）も、縁覚（注：36参照）も、衆生を救う修行をしようという志を起こせば、その瞬間から菩薩（注：2参照）となるわけで、本質的に違った人間であるはずはない。仏の方便によってそれぞれの機根の人にふさわしい教えを説いたのであって、仏の真実の教えはあくまでも一つしかない（注：8参照）ということが、「法華経（注：58参照）」で明らかにされたのである。

66 本事《ほんじ》・本生

本事は、主として仏弟子の前世の物語。本生《ほんじょう》は、仏の前世における菩薩としての修行と因縁の物語。

67 九種の教え（九部）

小乗の教えのこと。仏教説法の九種の形式。九《く》部《ぶ》経。

68 尽十方

東・西・南・北の四方《しほう》と、東南・西南・西北・東北の四《し》維《ゆい》を合わせて八方と言い、それに上・下の二方を加えて十方と言う。尽十方《じんじっぽう》とは、その十方世界のすみずみまでくまなく…の意。

69 三十二相・八十種好

仏のお身体《からだ》の美しくも尊いすがたの種々相。三十二相は五十二頁十五行目以降参照。それをより詳しく観察したのが八十種好《しゅごう》。

70 第一義空

第一の（最高の、究極の）意味における空《くう》（注：31参照）ということ。空の究極最高の意味は、諸法実相（注：48参照）のことである。すなわち、この世の真実のありようのことを言うのであるが、それが空であり、大調和しているということを第一《だいいち》義《ぎ》空《くう》と言う。

71 諸根

根《こん》とは、草や木の根が、幹や枝や葉を養い生ずるはたらきをもっていることから、機能とか能力、またある作用を起こす力をもったもののことを言う。五根は感覚の能力、感覚を起こさせる器官のことで、見る器官（眼《げん》）・聴く器官（耳《に》）・嗅ぐ器官（鼻《び》）・味わう器官（舌《ぜつ》）・触れる器官（身《しん》）の五つを言う。それに精神、思惟器官（意《い》）を加えると六根になる。また、悟りを得るための修行で、三十七道品（注：19参照）の中の五根とは、信

・精進・念・定・慧の五つの根を言う。

72 経行

一定の場所を静かに歩きながら心身を整え、もしくは法を思索したり、経を誦じたりする行。禅宗ではキンヒンと発音する。

73 八正道

正しく生きるための八つの道。正見《しょうけん》（自己中心の歪んだ見方や、偏った見方をせず、ものごとを中正に見る）・正思《し》（ものの考え方を自己中心でなく、大きい立場から真理に照らして考える）・正語《ご》（真理にかなったことを、目的にピッタリ合った表現で言う）・正行《ぎょう》（日常の行為が天地の真理のレールに乗り、周囲や社会と大きな意味で調和のとれたものであること）・正命《みょう》（衣食住その他の生活財を正しい手段で求めること）・正精進《しょうじん》（自分に与えられた使命および自分が目指す正しい目的に対して正しく励み進み、怠ったり脇道へそれたりしないこと）・正念《ねん》（心を常に強く、正しい方向へ向けていること）・正定《じょう》（心が常に静かで信念が固く、周囲の影響や変化によって動揺しないこと）。

74 中道

理念の上から言えば、差別観にもとらわれず、平等観に偏ることもない正しい見方。行法《ぎょうぼう》の上から言えば、苦・楽の二極端を離れた正しい生き方（八正道）。

75 初転法輪

仏の教えは車輪がどこまでも転がっていくように、人びとを限りなく救っていくことを意味して、法輪と称される。釈尊の最初の説法は鹿野苑において、かつて共に修行した五人の比丘に対してなされた。それを初転法輪と言う。

76 五濁の悪世

一五五頁四行目以降参照。

77 三乗

乗というのは乗り物で、悟りの彼岸に達するための乗り物のこと。三乗の教えとは、声聞乗《しょうもんじょう》（注：34参照）・縁覚乗《えんがく》（注：36参照）・菩薩乗《ぼさつ》（注：2参照）の三つである。たんに三乗と言えば〈教え〉をさすこともあるし、それぞれの境地を求める〈修行者〉をさすこともある。

78 小劫・劫

きわめて長い時間を量る単位。たとえば、お釈迦さまが「広さ四十里四方の石の山の頂を、百年に一度ずつ柔らかい衣の袖で撫でることによって石の山が少しずつ磨《す》れてゆき、すっかり磨り切れてしまうよりもっと長い時間が一劫《こう》」とおっしゃったとあるくらい、考えられぬほどの長い時間。その四分の一を中劫、中劫の二十分の一を小劫と言った。

79 多陀阿伽度・阿羅訶・三藐三仏陀

梵語のタターガタ（如来、注：33参照）・アルハット＝アラハン（応供《おうぐ》）・サミャクサンブッダ（正偏知）のこと。すべて仏の尊称。

80 三毒

仏教で、人間をそこなう代表的な悪と説く、貪《とん》・瞋《じん》・痴《ち》の三つ。貪（貪欲）は、満足することを知らぬ過度の欲望。瞋（瞋恚）は、自己中心のわがままな怒り。痴（愚痴）は、目先のことしか考えず、本能の衝動のままに行動する愚かさ（注：32参照）。

81 十力

仏に特有の十種の智力のこと。1、是処非処を知る智力（こういう場合はこういうことをするのが適当であり、こういうことは不適当である、ということを知る力）・2、三世の業報を知る智力（行為と行為の結果が後に残す影響は、過去・現在・未来にわたって続くもので、それを見通す力）・3、諸禅解脱三昧を知る智力（いろいろな境遇に応じて、その境遇に動かされない心の持ち方というものを、知り尽くしている智慧の力）・4、諸根の勝劣を知る智力（教えを聞く人の機根の程度を、はっきりと見分ける力）・5、種々の解を知る智力（同じ教えを聞いても、人それぞれ解釈のしかたに微妙な相違があるが、それを見分ける力）・6、種々の界を知る智力（人びとの境界すなわち身の上を見通す力）・7、一切の至る所の道を知る智力（こういう行いはこういう結果に至ると、現在の状態を見て、これから先を見通す力）・8、天眼無礙《げ》を知る智力（普通の人では分からない、他人の心の動きとか、ものごとの真相とかを誤りなく知る力）・9、宿命と無漏とを知る智力（宿命とは、ある人が前世になした行いによって、どのような業を負ってこの世に生まれてきたかということ。無漏とは、すべての迷いを残らず離れ去ること。つまり、宿命を人によって見分け、その迷いを取り除く指導方法を知る力）・10、永く習気《じっけ》を断つことを知る智力（習気とは潜在意識の一種で、その習気までも永久に断ち切る方法を知る力）。

82 無所畏（無畏）

無畏《むい》（無所畏《むしょい》）というのは、畏れはばかることなく法を説く仏の境地を言い、それには〈四無畏〉という四つの条件がある。一切智（一切のものの真実を知る智慧を成就していること）・漏尽（漏は迷い。その迷いがすっかり尽きておられること）・説障道《せつしょうどう》（障道とは仏道を妨げるもので、こういうさまざまなマイナスの正体を大衆の前に説き明かしていくこと）・説尽苦《せつじんく》道《どう》（あらゆる苦を消滅する道を知り尽くしておられるので、いかなる事態に対しても正しく的を射た方法を教えることができること）である。

83 実大乗

本当の大乗のこと。小乗とか大乗とかいう小さな考えを乗り越えたお釈迦さまの教えの精髄そのもの。すなわち「法華経（注：58参照）」でお説きになった一仏乗（注：65参照）。しかも真理にまじりものを加えず、究極の純粋（清浄）なところを説いたのが実大乗の教え。

84 バラモン（四姓）

インドの身分階級（カーストによる四つの階級）を大きく分けると、バラモン（最上階級で自ら梵天の口から生じた神の種族と称して、学問・宗教・道徳を司っていた）・クシャトリア（武士・国王の階級）・ヴァイシャ（農工商の階級）・シュードラ（奴隷階級）の四つになる。この四階級を四姓《ししょう》と言う。その下に四姓にも入れないチャンダーラ（不可触民）があった。

85 居士

梵語のグリハパティのことで、もともとは家の主人という意味。昔のインドでは、商工業者を主とする富豪のことを言い、中国では学徳が高くてしかも仕官していない人のことを言う。現在の日本では、仏教に帰依している在家の男子をいう。

86 那由他

梵語のナユタのことで、昔のインドの大数の単位。通常は一千億と解されている。

87 結跏趺坐

右足甲を左腿《もも》の上に、左足甲を右腿の上に置く脚の組み方。坐禅の坐り方。

88 由旬

梵語ヨージャナのことで、古代インドの長さの単位。一由旬《ゆじゅん》は牛の鳴き声の聞こえる距離の四倍または八倍と言われている。

89 転輪聖王

昔のインドでは、徳のすぐれた王には天から金・銀・銅・鉄などの輪宝《りんぼう》というものが授けられ、その輪宝を転がしていけば向かうところ敵なく、すべてが服従するという伝説があり、そのような王を転輪聖王《てんりんじょうおう》と言う。

90 迦陵頻伽
ヒマラヤに住むという、鳴き声の非常に美しい鳥の名。

91 四維
注：68参照。

92 外道
仏教以外の宗教や思想。

93 正法・像法
仏陀の教法が正しく行われ、教・行・証が揃っている時代が正法。教えも多聞が中心になり、造寺などが盛んに行われているけれども、かんじんの行が欠けているために証がなかなか得られない時代が像法。ちなみに、教えだけは残っていても大衆がそれを見失い、行も行われず、証も得られぬ時代を末法と言う。

94 十二部
九部経（注：67参照）に三つの形式を加えた、大乗仏教の説法の十二の形式。十二部経とも言う。

95 本仏の無量寿
本仏は、時間的には無限の過去から無限の未来まで、常に存在されるものであり、また空間的には、この世の至る所に普《あまね》く存在されるものであることを言う。つまり、本仏の無量寿が説かれることにより、仏さまがいついかなる時でもわれわれと共にいてくださり、その仏さまの慈悲によってわれわれが生かされているという真実が明かされるのである。また、仏の寿命が無限であるということは、とりもなおさず、われわれの本質である仏性が無限であるということであり、われわれは本仏の無量寿を知ることによって、限りない希望と勇気を得ることができるのである。

96 総持真言（陀羅尼呪）
（陀羅尼《だらに》）神呪《じんしゅ》とも言い、善はそれをよく身に持《たも》って成長させ、悪はおしとどめて、発せしめない力そのものである言葉。また、五種不翻《ごしゅふほん》（一つの語に多くの意味が含まれるので、一語に翻訳すると原意が十分に尽くされないもの）の一つであり、それを唱えれば仏の世界へ直入できるという神秘的な言葉。

97 十八不共法
不共法《ふぐほう》とは、声聞や辟支仏（縁覚）にはなく、仏もしくは菩薩だけがもつはたらきで、それが十八種あること。その内容は、通常、十力（注：81参照）と四無畏（注：82参照）と三念処と大慈悲を合わせたものを言う。

98 三念処

仏さまの衆生に対されるご態度を初念処《しょねんじょ》（仏さまを賞めたたえた衆生の心を喜んでくださるご態度）・二念処（仏さまをののしったりした人の心を深く憐れみ、悲しまれるご態度）・三念処（すべての人が平等に仏性をもっていることを見通して、平等に慈悲をかけてくださるご態度）と三つに分けて示されたもの。三念住《じゅう》とも言う。

99 十悪業（五逆罪）

十悪業は、殺生《せっしょう》・偸盗《ちゅうとう》・邪淫《じゃいん》・妄語《もうご》（嘘をつく）・綺《き》語（口先でお上手を言う）・両舌《りょうぜつ》（二またかけた言説）・悪口《あっく》（わるぐち）・貪欲・瞋恚・愚痴（注：80参照）。五逆罪は、父を殺す・母を殺す・聖者を殺す・仏身を傷つける・仏弟子の和合を破る、の五つの罪。最も極悪の罪で、これを犯せば無間地獄に堕ちるとされている。

100 五眼

五つの眼《まなこ》。肉眼《にくげん》（現象だけにとらわれたものの見方をする肉体の眼）・天《てん》眼（肉眼の限界を超えたものを見ることができる科学的な眼）・慧《え》眼（天眼よりさらに深く、ものごとの真実のあり方を見分ける眼識で、哲学的な眼）・法《ほう》眼（ものごとの真髄を明らかにつかむことができる芸術的な眼）・仏《ぶつ》眼（以上の四眼を兼ね具え、なおかつ大慈悲の心を具えた真実の意味の宗教的な眼）を言う。

101 六つの戒め・八つの戒め

五戒に〈人のあやまちを言いふらさないこと〉を加えたのが、六つの戒め（六重の法）。さらに、〈自分のあやまちを隠すようなことをしない〉・〈他人の悪いところだけを取り上げて非難するようなことをしない〉という二つの戒めを加えたものが八つの戒め（八重の法）。

102 五つの戒め……正学女の戒め

五戒（五つの戒め）は全仏弟子のための普遍的な戒めで、不殺生《ふせっしょう》・不偸盗《ちゅうとう》・不邪淫《じゃいん》・不妄語《もうご》・不飲《おん》酒《じゅ》を言う。それに三つの戒めを加えた出家修行者の基本的な戒めが八戒。そのほか、成人前の見習い僧（沙弥《しゃみ》・沙弥尼）のための戒めや、その中でも正学女《しょうがくにょ》（式叉摩尼《しきしゃまに》＝十八歳から二十歳までの沙弥尼）のための戒めなど、出家修行者には厳しい、多くの戒律があった。

103 六念の法

仏・法・僧の三宝《さんぼう》と、戒・施・生天の三輪の六つを強く念ずること。

庭野日敬
にわの　にっきょう

明治三九年、新潟県に生まれる。

立正佼成会開祖。

宗教協力を提唱し、新日本宗教団体連合会理事長、世界宗教者平和会議国際委員会会長などをつとめる。

平成一一年、入寂。

著書
『法華経の新しい解釈』
『新釈法華三部経』(全10巻)
『仏教のいのち法華経』
『庭野日敬法話選集』(全8巻)
『この道』
『瀉瓶無遺』
『人生、心がけ』
『人生、そのとき』
『人生の杖』
『もう一人の自分』
『見えないまつげ』ほか多数。

現代語の法華経　ワイド版3

昭和四九年　三　月一五日　初　版第　一　刷発行
平成　二　年一一月一五日　改訂版第　一　刷発行
平成二九年　五　月一〇日　改訂版第一二刷発行
令和　二　年　三　月　五　日　新装版第　一　刷発行
令和　四　年　一　月一五日　新装版第　二　刷発行

著　者　庭野日敬
発行者　中沢純一
発行所　株式会社佼成出版社
〒一六六―八五三五
東京都杉並区和田二―七―一
電話　〇三（五三八五）二三一七（編集）
　　　〇三（五三八五）二三二三（販売）
URL https://kosei-shuppan.co.jp/
印刷所　小宮山印刷株式会社
製本所　株式会社若林製本工場

ISBN978-4-333-00706-6 C0015